6세

초능력

첫걸음 한글

2단계

6세

한글 학습 어떻게 시작할까요?

한글 학습 방법은 두 가지가 있습니다.

첫째, 자모음자 결합 원리를 이용한 학습 방법입니다.

이 학습 방법은 자음자와 모음자의 모양과 소리를 각각 익힌 다음, 자모음자를 결합해 글자를 만들고 익히게 합니다.

ㄱ + ㅓ → 거　ㅁ + ㅣ → 미

이렇게 학습하면 글자가 낱말을 이룬다는 것을 이해하고, 결합 원리를 활용해 새 낱말을 만들 수 있다는 장점이 있습니다. 하지만 5~6세 아이는 글자 결합 과정을 이해하기 어렵기 때문에 한글 공부에 대한 아이의 흥미가 떨어진다는 단점이 있습니다.

둘째, 통 문자로 외우는 학습 방법입니다.

이 학습 방법은 글자와 낱말을 그림처럼 인식하게 하여 한글을 통째로 기억하며 익히게 합니다.

거미 거울 거품 → 거

이렇게 학습하면 낱말을 그림처럼 쉽게 이해하고, 한글에 재미를 느껴 언어 능력이 빠르게 발달된다는 장점이 있습니다. 하지만 낱말을 보고 읽을 수는 있으나 낱말을 이루는 글자에 대한 이해도는 부족하다는 단점이 있습니다.

그렇다면 한글 학습을 처음하는 아이, 어떻게 공부시켜야 할까요?

자모음자 결합 학습  통 문자 학습

두 가지 학습 방법을 동시에!

대부분의 한글 학습 교재는 한 가지 한글 학습 방법에 따라 내용을 구성하고 있습니다. 이제는 통합적으로 한글 학습을 해야 합니다.

5~6세 아이가 쉽게 한글 공부를 시작하도록 '가', '거', '고'…… 받침이 없는 글자부터 차근차근 자모음자 결합 원리를 깨치고, 한글 연상 그림과 함께 통 문자를 반복하여 익히면 한글 학습의 효율성과 한글 학습의 재미, 두 마리 토끼를 한 번에 잡을 수 있습니다.

6세 초능력 첫걸음 한글로 시작하세요!

1 한글을 학습하는 두 가지 방법을 동시에 할 수 있어요!

한글 결합 원리를 익힐 수 있는 "자모음자 결합 원리 학습 방법"과 글자를 이미지로 받아들여 오랫동안 기억할 수 있는 "통 문자 학습 방법"을 통합하여 학습 효과를 높였습니다.

2 한글을 재미있고 빠르게 배울 수 있어요!

1단계는 자모음자부터 "가~사", 2단계는 "아~하"의 받침 없는 글자가 포함된 낱말을 차례로 공부하며 단 2권으로 한글을 쉽고 빠르게 떼도록 만들었습니다.

3 보고 들으며 생생하게 익히고 오랫동안 기억할 수 있어요!

한글 챈트 영상을 제공하여 기본 자모음자의 소리와 결합 원리를 생생하게 익힐 수 있게 하였습니다. 또한 챈트 영상 낱말을 담은 한글 브로마이드를 보며 한글을 오래 기억하게 하였습니다.

6세 초능력 첫걸음 한글 이렇게 공부하세요.

1 글자를 만나요 자음자와 모음자의 결합 원리를 통해 글자를 만드는 방법을 배웁니다.

학부모 지도 TIP 한글 챈트 영상을 보면서 글자의 짜임을 노래를 부르며 재미있게 익힐 수 있도록 해 주세요.

챈트 영상으로 글자의 결합 원리를 쉽고 재미있게 이해할 수 있습니다.

2 글자를 배우고 익혀요 다양하고 재미있는 활동을 통해 배운 글자와 낱말을 익힙니다.

6가지 활동 아이콘

다양한 방법으로 문제를 풀면서 낱말과 낱말의 쓰임에 대해 바르게 알 수 있습니다.

- 글자 쓰기
- 붙임딱지 붙이기
- ○표 하기
- 길 찾기
- 색칠하기
- 선 잇기

3 글자를 찾고 만들어요 배운 낱말과 자모음자의 결합 원리를 다시 한번 살펴보며 마무리합니다.

붙임딱지를 붙여 낱말을 완성하며 앞에서 배운 내용을 확인할 수 있습니다.

학부모 지도 TIP

자음자와 모음자를 결합하여 글자를 직접 만들고 따라 쓰는 과정을 통해 글자 형성 원리를 이해하며 마무리할 수 있게 해 주세요.

차례

글자 알아보기 [아 ~ 하]

- ㅇ 아~이 ········ 8쪽
- ㅈ 자~지 ········ 24쪽
- ㅊ 차~치 ········ 40쪽
- ㅋ 카~키 ········ 56쪽
- ㅌ 타~티 ········ 72쪽
- ㅍ 파~피 ········ 88쪽
- ㅎ 하~히 ········ 104쪽

첫걸음 한글 1단계

자음자와 모음자 알아보기

글자 알아보기 [가 ~ 사]

- ㄱ 가~기
- ㄴ 나~니
- ㄷ 다~디
- ㄹ 라~리
- ㅁ 마~미
- ㅂ 바~비
- ㅅ 사~시

글자 알아보기
[아~하]

글자를 만나요

ㅇ + ㅏ → 아

TIP 이렇게 지도하세요! 'ㅇ'과 모음자가 합쳐진 '아, 어, 오, 우, 으, 이'를 배웁니다. 자녀와 함께 챈트 영상을 보며 'ㅇ'과 모음자의 결합을 쉽고 재미있게 공부해 보세요. 그리고 자녀가 각 글자들을 소리 내어 읽은 뒤, 글자가 포함된 낱말도 함께 말해 볼 수 있도록 지도해 주세요.

ㅇ
ㅗ
오
오리
ㅇ
ㅜ
우
우유
ㅇ
ㅡ
으
으앙
ㅇ
ㅣ
이
이나래
이름

아를 배워요

아 침

아 버 지

아 를 익혀요

TIP 이렇게 지도하세요! 자녀가 붙임딱지에서 '아'를 찾아 알맞은 곳에 붙여 낱말을 완성하고, '아'가 들어간 낱말을 나타내는 그림도 자유롭게 붙이도록 도와주세요. 이 과정에서 자녀가 '아'의 모양과 소리를 정확하게 익히고, '아'가 포함된 낱말도 함께 기억할 수 있도록 지도해 주세요.

어 를 배워요

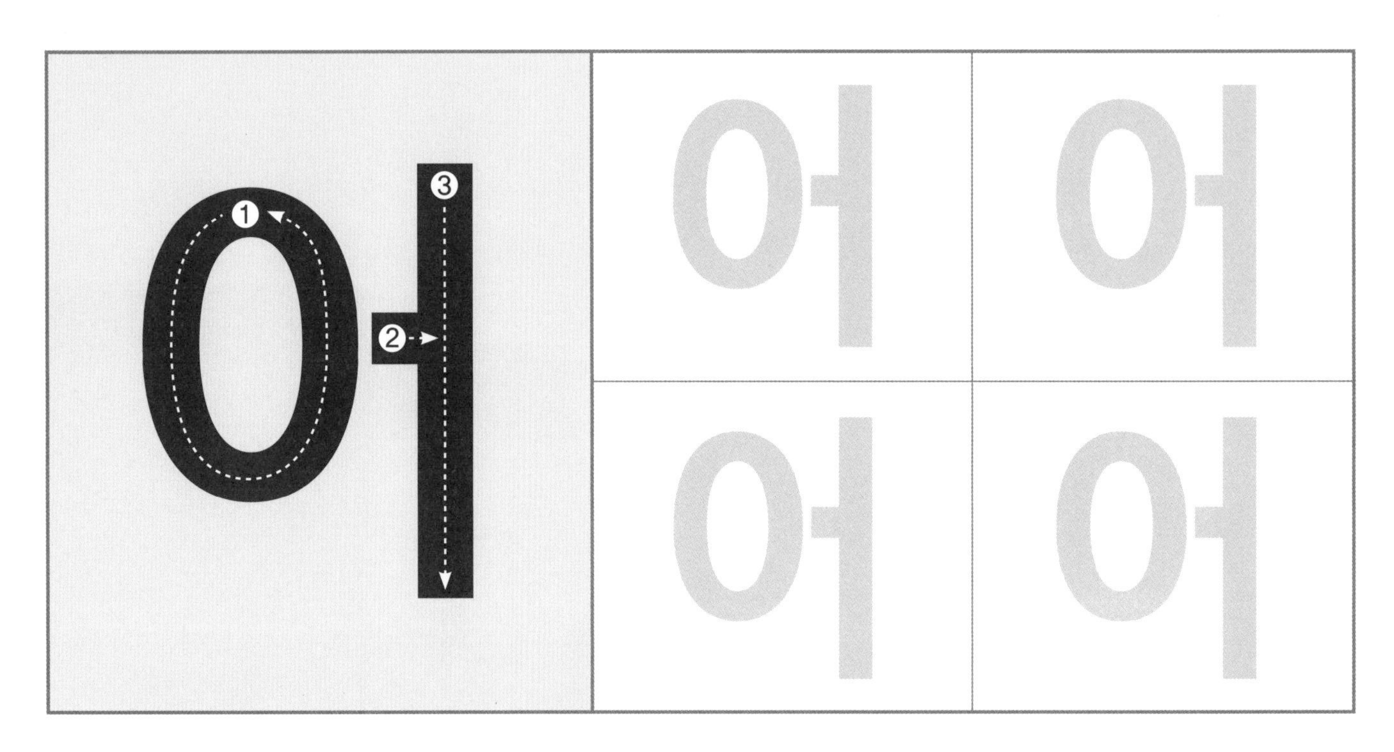

어 깨

어 린 이

어 를 익혀요

TIP 이렇게 지도하세요! 자녀가 그림을 살펴보며 낱말을 소리 내어 말해 보고, '어'가 들어간 낱말을 세 개 찾아 ○표 할 수 있도록 도와주세요. 또, 자녀가 '아'와 '어'의 모양과 소리를 확실하게 구별하여 익힐 수 있도록 지도해 주세요.

오 를 배워요

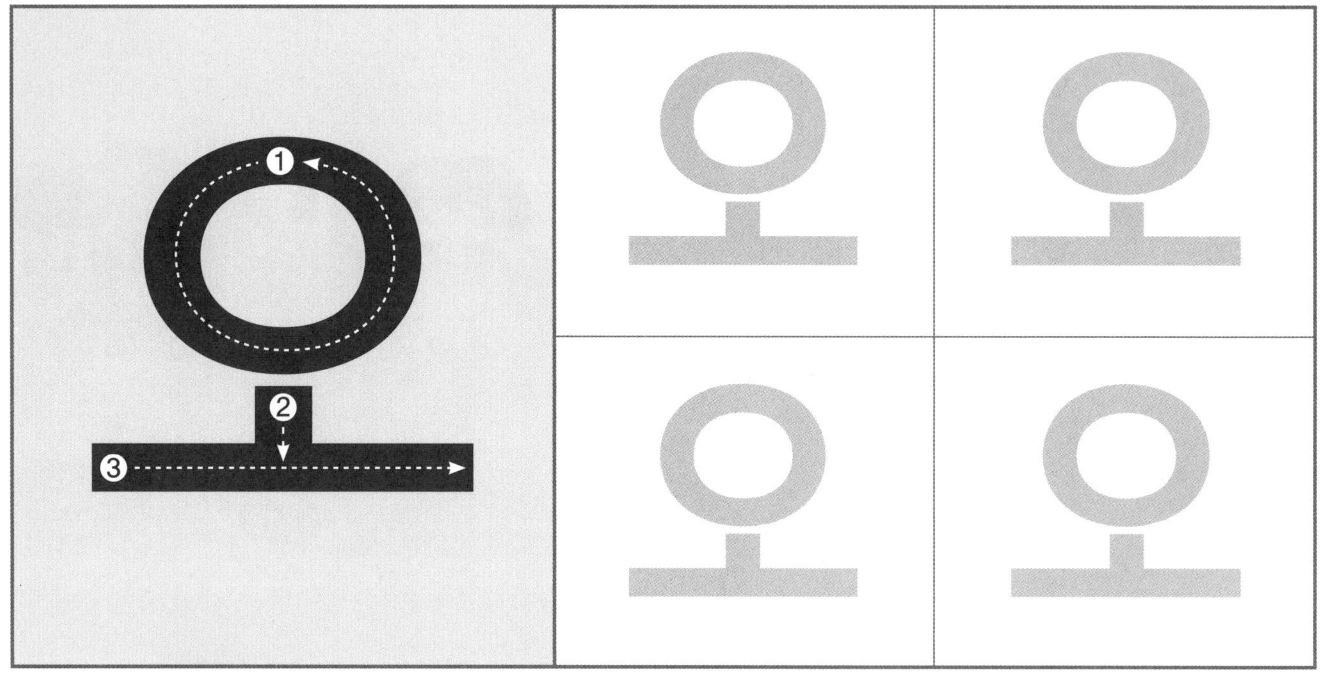

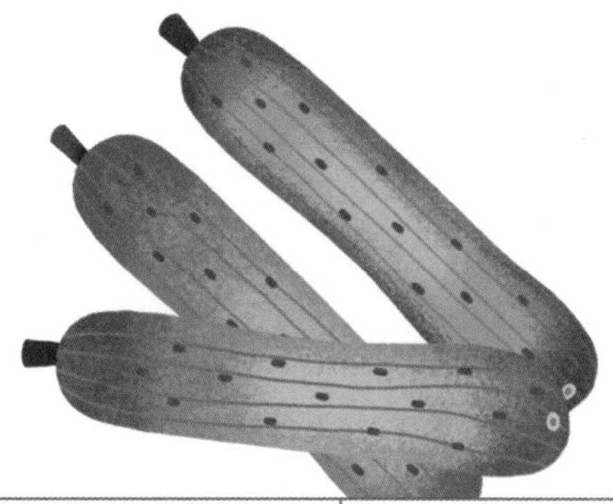

오	이

오	리

오 를 익혀요

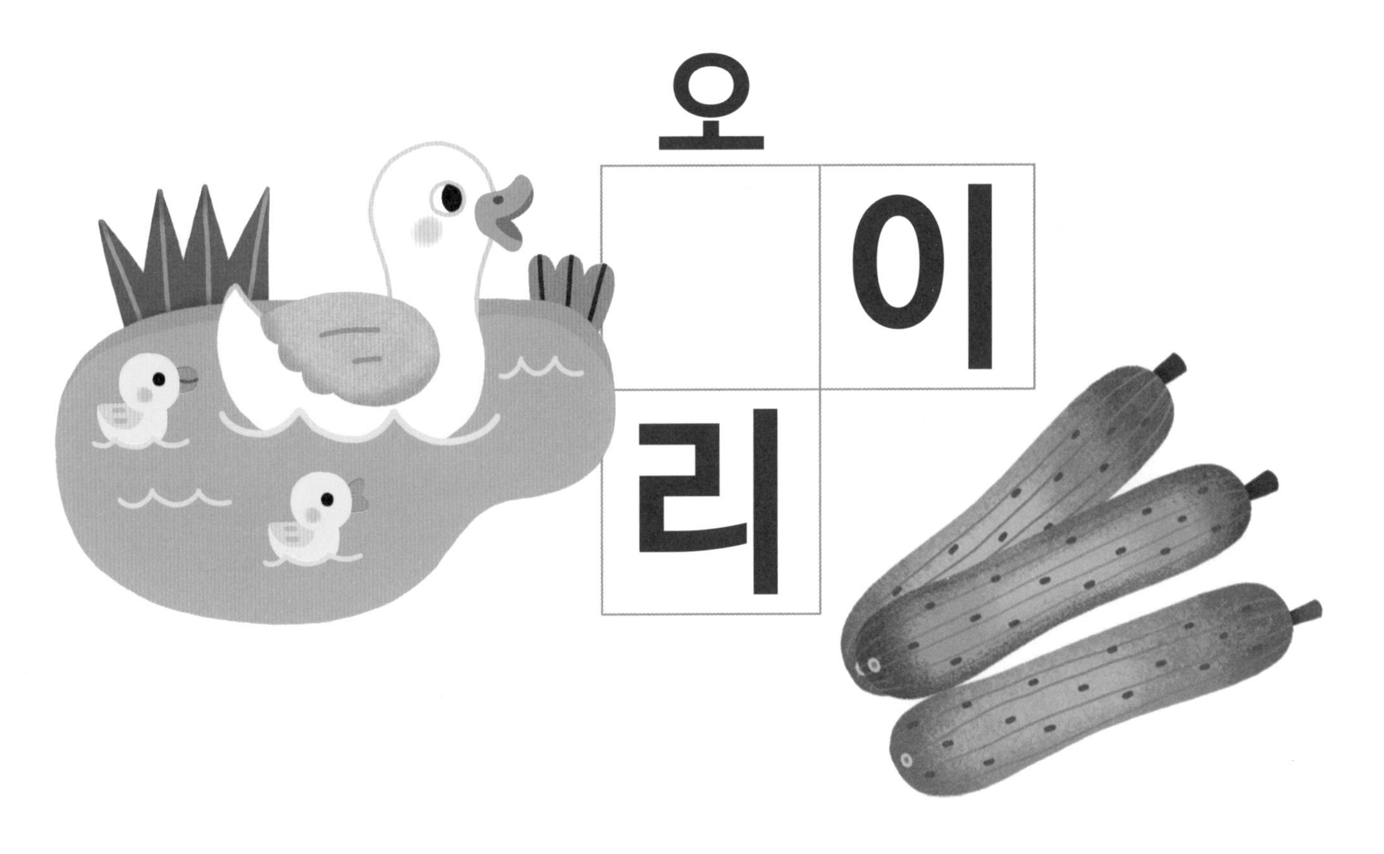

TIP 이렇게 지도하세요! 먼저 각 그림과 관련된 낱말을 함께 말해 보고, 자녀가 빈칸에 '오'를 써넣어 낱말을 완성하도록 도와주세요. 자녀가 두 낱말의 공통 글자를 직접 쓰는 과정을 통해 '오'의 모양과 소리를 정확하게 익히고, 각 낱말들도 함께 기억할 수 있습니다.

우 를 배워요

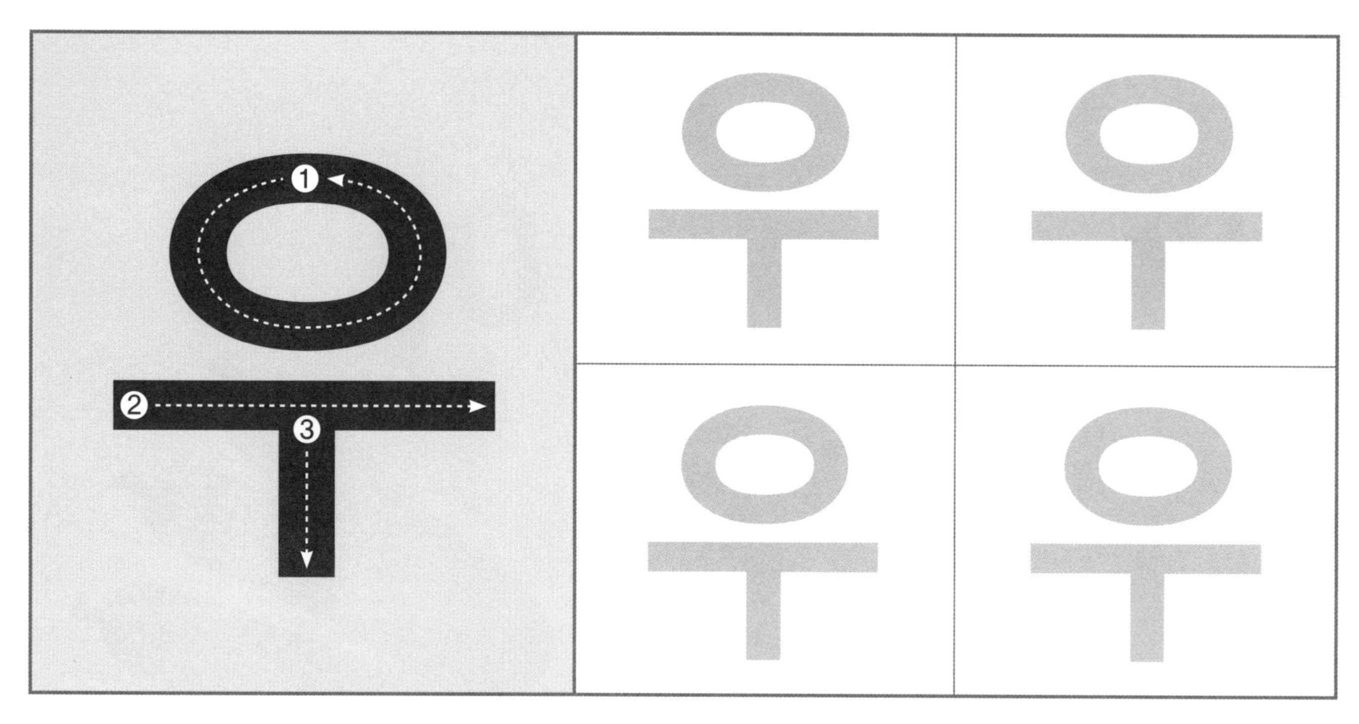

우 산

여 우

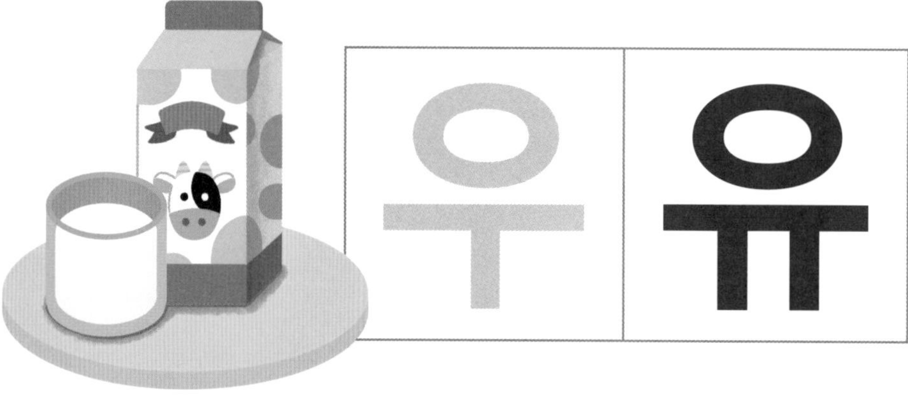

우 를 익혀요

TIP 이렇게 지도하세요! 자녀가 앞에서 배운 '오'가 들어 있는 낱말을 답으로 고르지 않는지 지켜봐 주세요. '오'와 '우'처럼 모음자에 따라 글자가 달라질 수 있으므로, 글자 모양을 정확히 알게 해 주세요.

으 를 배워요

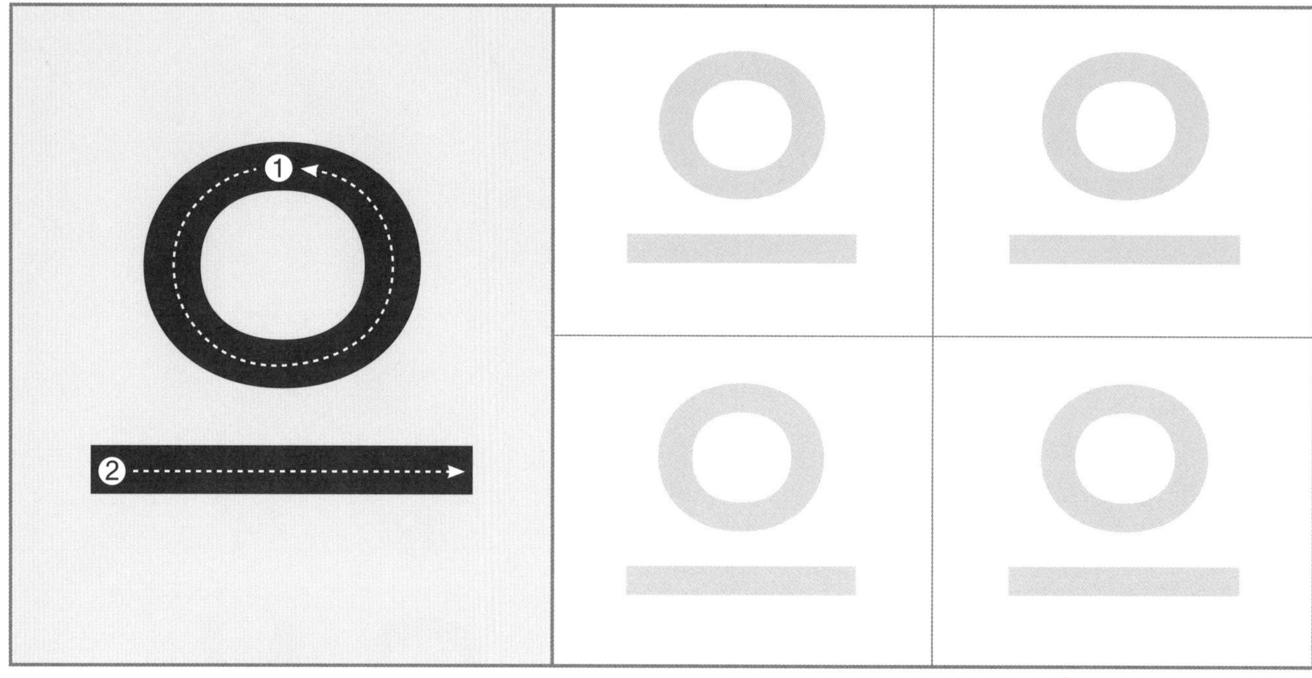

으앙

으뜸

으르렁

으 를 익혀요

어	으	앙

우	으	뜸

으	오	르렁

이렇게 지도하세요! 먼저 자녀에게 각 그림이 나타내는 낱말이 무엇일지 생각하여 소리 내어 말해 보게 해 주세요. 그런 다음 자녀가 제시된 두 글자 중에서 '으'를 바르게 찾아 색칠하도록 지도해 주세요. 이 활동으로 '으'와 다른 글자들의 모양을 정확하게 구별하고 기억할 수 있습니다.

이 를 배워요

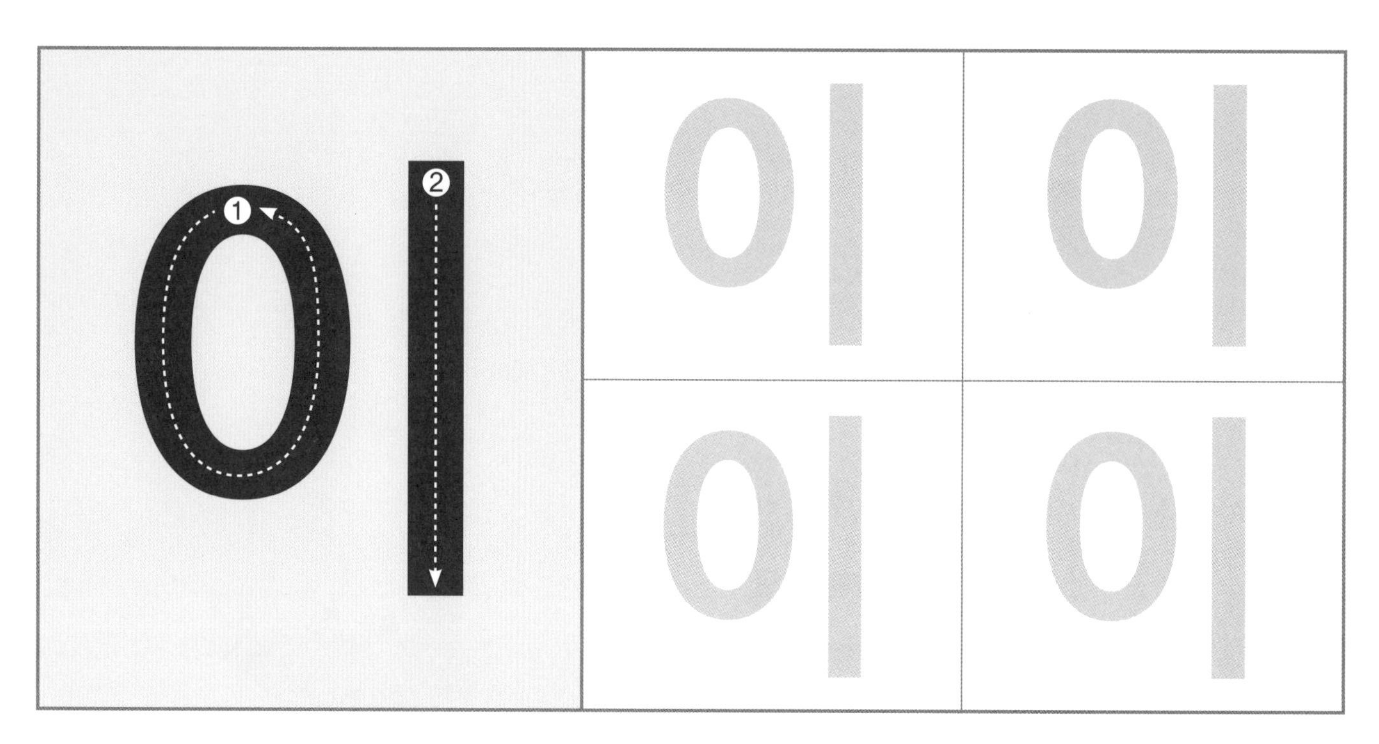

이 를 익혀요

어름

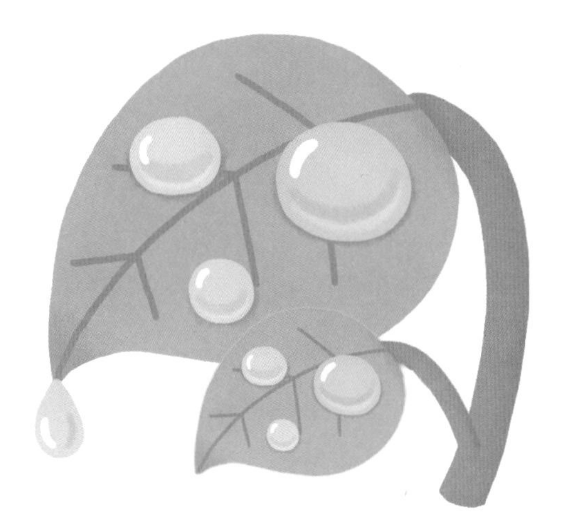

이슬

오슬

아야기

이야기

TIP 이렇게 지도하세요! 자녀가 그림이 나타내는 낱말을 찾아 ○표 하도록 도와주세요. '이슬'은 물방울을 뜻하는 말이고, '오슬'은 잘못 쓴 말입니다. 한 글자가 달라져도 낱말의 뜻을 제대로 전달할 수 없으므로 글자를 바른 모양으로 정확하게 쓰고 읽어야 한다는 것을 꼭 알려 주세요.

글자를 찾아요

글자를 만들어요

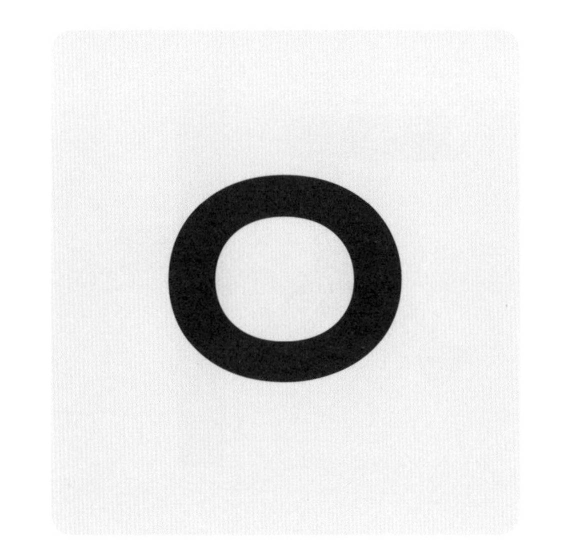

ㅏ 아

ㅑ 야

ㅓ 어

ㅕ 여

ㅣ 이

ㅗ	ㅛ	ㅜ	ㅠ	ㅡ
오	요	우	유	으

글자를 만나요

ㅈ + ㅏ → 자

TIP 이렇게 지도하세요! 자녀와 함께 챈트 영상을 보며 자음자 'ㅈ'과 모음자가 만나 글자가 만들어지는 원리를 쉽게 익혀 보세요. 'ㅈ'이 들어간 글자를 여러 번 소리 내어 말해 보고, 각 글자가 포함된 낱말도 한 번씩 말해 볼 수 있도록 도와주세요.

ㅈ
ㅗ
조
조개
ㅈ
ㅜ
주
주스
ㅈ
ㅡ
즈
치즈
ㅈ
ㅣ
지
지구

자 를 배워요

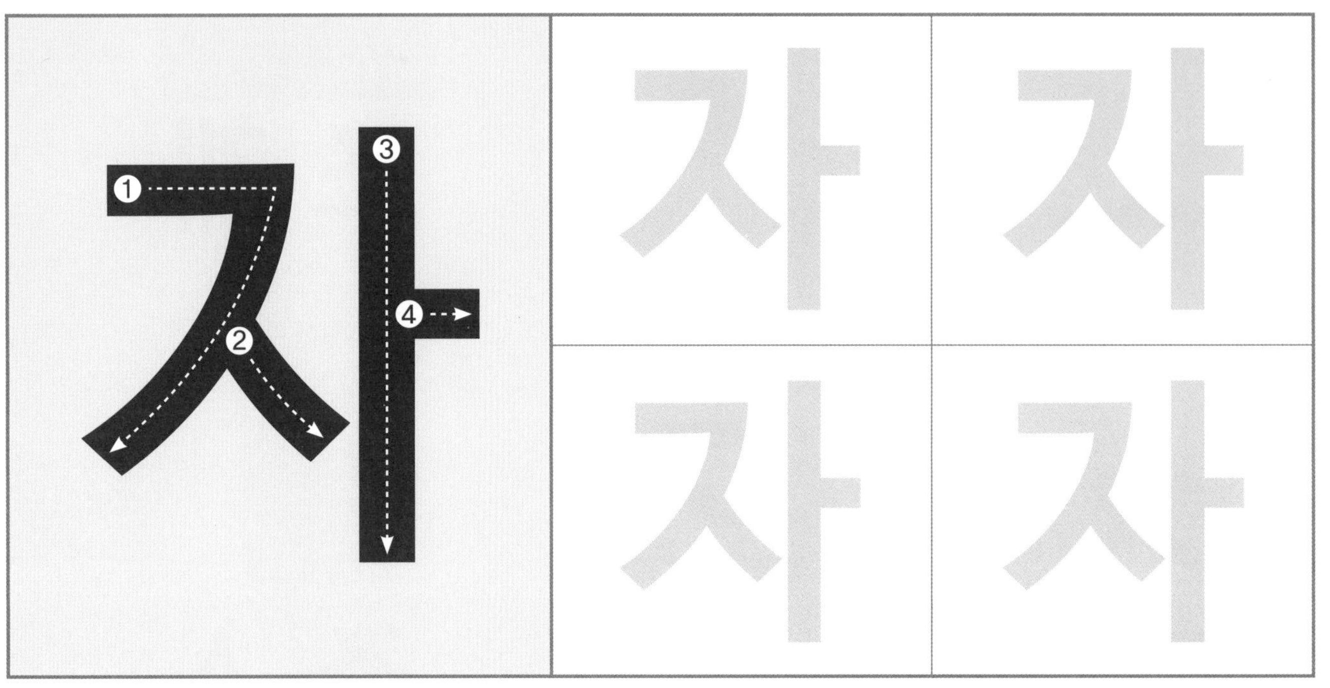

자	두

자	라

자	전	거

자 를 익혀요

TIP **이렇게 지도하세요!** 자녀가 붙임딱지에서 '자'를 찾아 알맞게 붙여 낱말을 완성할 수 있도록 도와주세요. 또, '자'가 들어간 낱말을 나타내는 그림을 원하는 곳에 붙이며 자녀가 놀이를 하는 느낌으로 '자'와 낱말들을 즐겁게 익히도록 해 주세요.

저 를 배워요

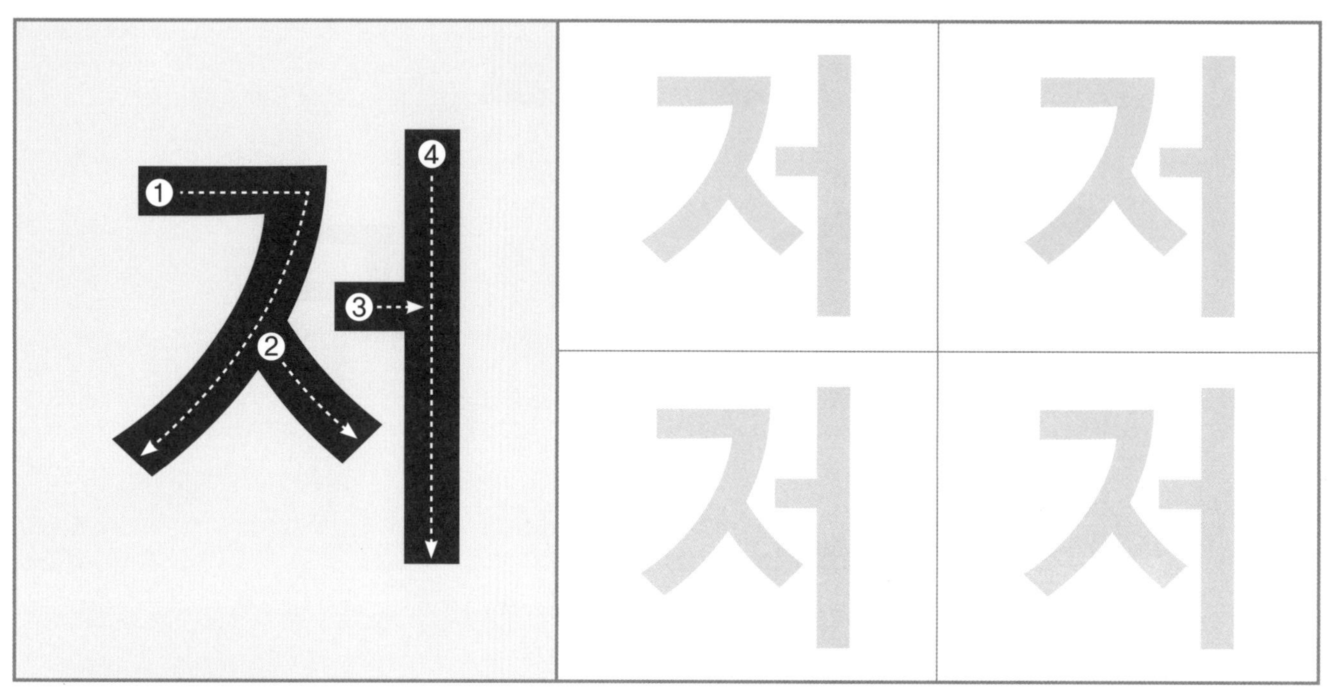

저	녁

저	울

기	저	귀

저 를 익혀요

TIP 이렇게 지도하세요! 그림을 함께 살펴보며 자녀가 '저'가 들어간 낱말을 세 개 찾아 ○표 하도록 도와주세요. 또, '자두'라는 낱말에는 앞에서 배운 '자'가 들어 있다는 점을 짚어 주시면 자녀가 '자'와 '저'의 모양과 소리를 기억하는 데 도움이 됩니다.

조를 배워요

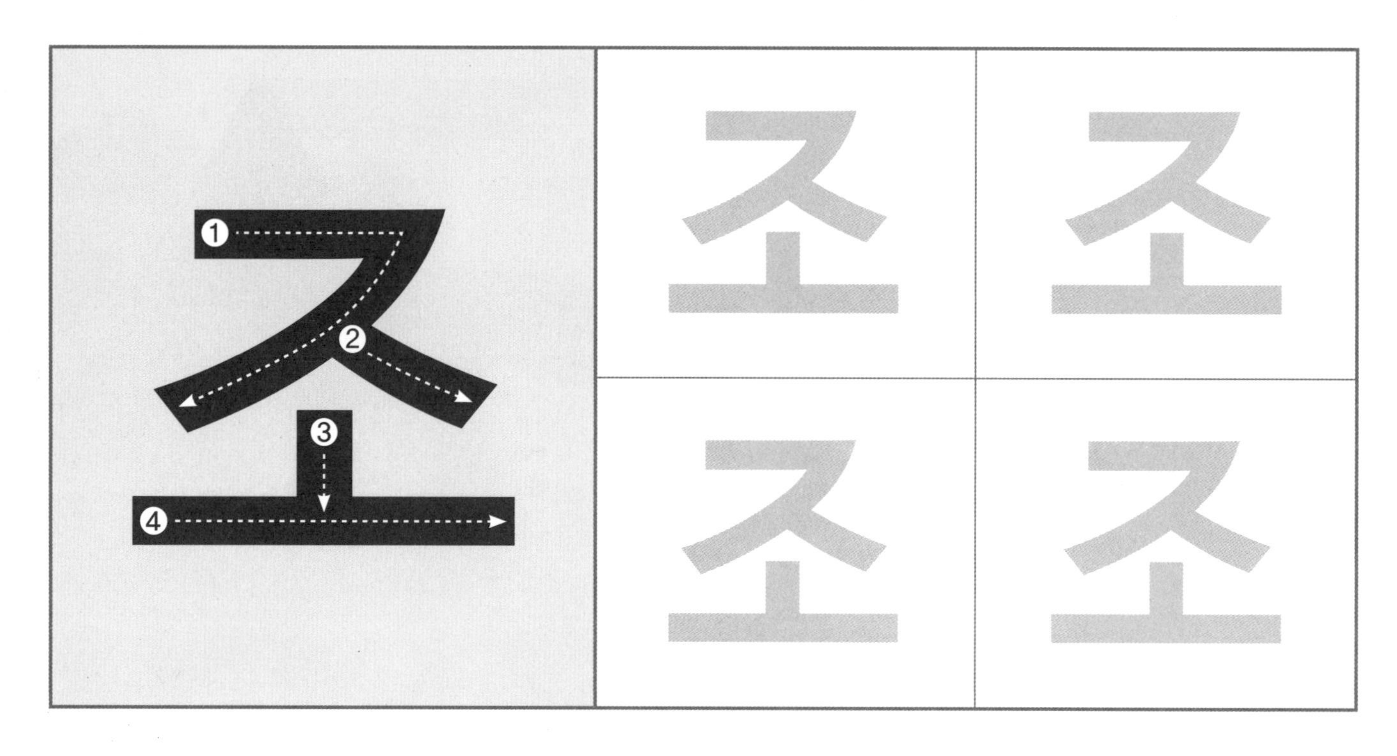

조	각

조	개

조	랑	말

조를 익혀요

TIP 이렇게 지도하세요! 자녀가 그림이 나타내는 낱말을 말해 보고, 빈칸에 '조'를 써넣어 낱말을 완성하게 해 주세요. 자녀가 '조'의 'ㅈ' 모양을 거울에 비춘 듯이 반대로 쓰는 경우도 많은데 공책에 큰 글씨로 여러 번 써 보게 해 주시면 실수를 줄일 수 있습니다.

주를 배워요

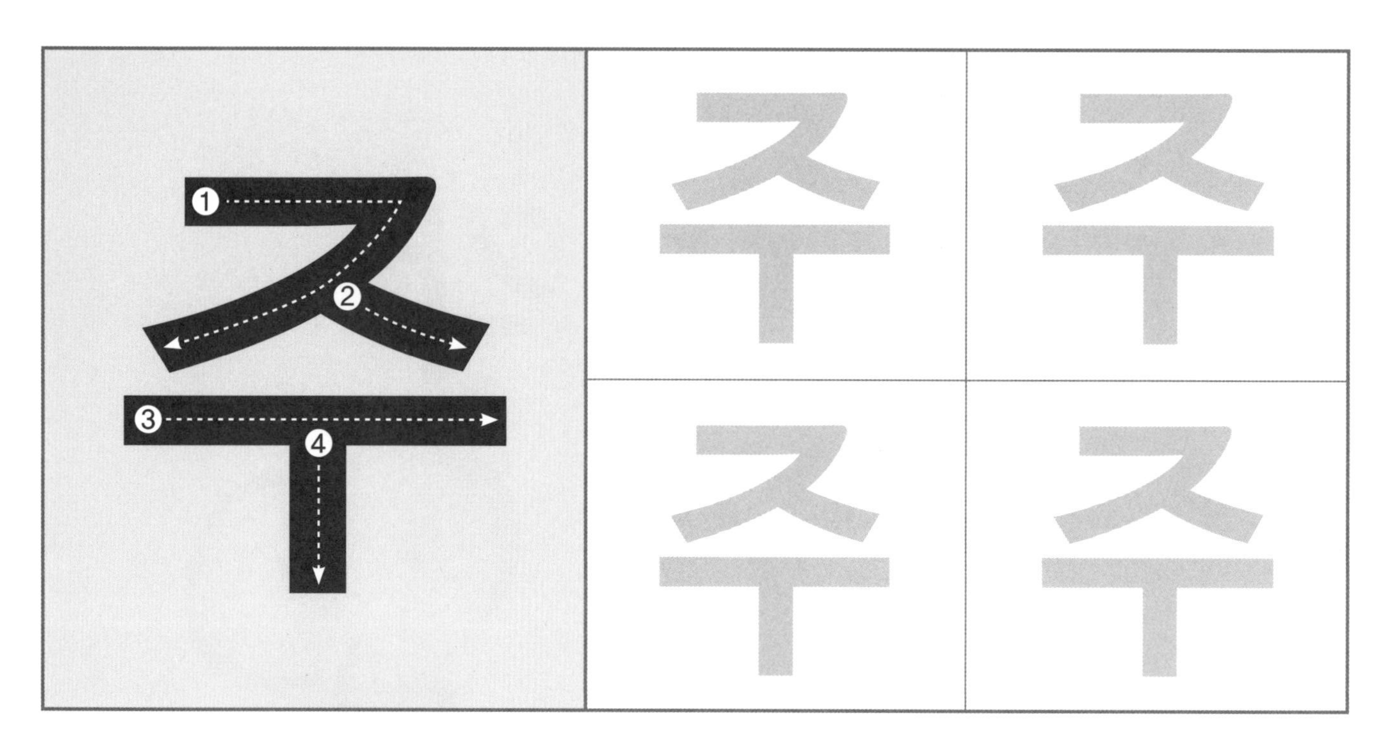

주를 익혀요

TIP 이렇게 지도하세요! 먼저 네 개의 낱말을 함께 차례대로 읽어 본 뒤 자녀가 '주'가 포함된 낱말을 따라 길을 찾도록 도와주세요. 또, '주전자'에는 '주' 말고도 앞에서 배운 '자'도 들어 있고, '조개'에는 앞에서 배운 '조'가 들어 있다는 점도 함께 말해 주시면 자녀가 글자 모양에 더 집중할 수 있습니다.

즈 를 배워요

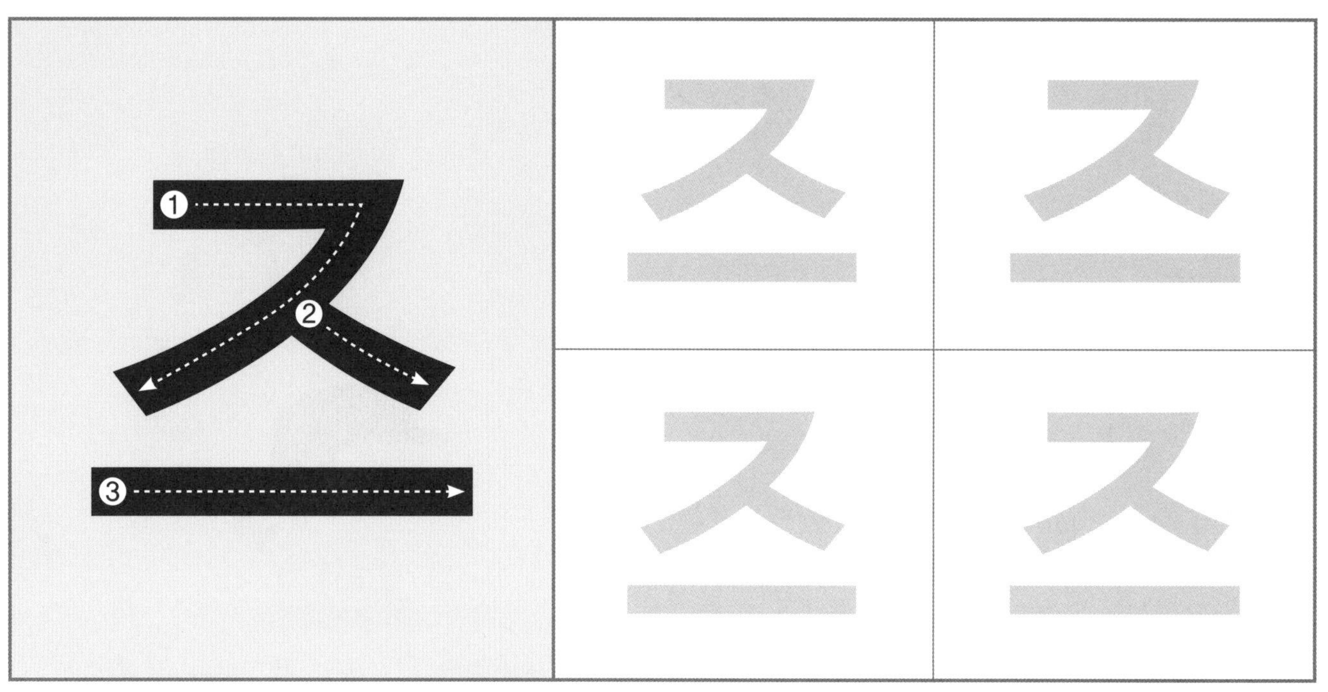

치	즈

퀴	즈

사	이	즈

즈 를 익혀요

쿼 | 즈 | 자

치 | 주 | 즈

사이 | 즈 | 조

TIP 이렇게 지도하세요! 자녀가 네모 칸에 쓰인 두 글자 중에서 '즈'를 알맞게 찾아 색칠할 수 있도록 지도해 주세요. 자녀가 '즈'를 바로 찾지 못하면 "퀴즈일까? 퀴자일까?", "치주일까? 치즈일까?"와 같이 글자를 소리 내어 묻는 방식으로 도움을 주세요.

지 를 배워요

지구

지도

지우개

지 를 익혀요

자구

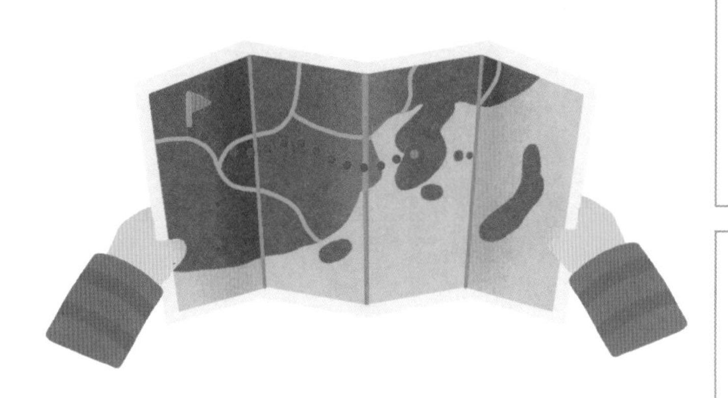

지도

조도

저우개

지우개

TIP 이렇게 지도하세요! 자녀가 그림이 나타내는 낱말을 먼저 말해 보고, '지'가 알맞게 쓰인 낱말을 각각 찾아 ○표 할 수 있도록 도와주세요. 이 과정에서 '지'의 모양과 소리를 다른 글자들과 정확하게 구별하여 익히고, '지'가 포함된 낱말도 함께 기억할 수 있도록 지도해 주세요.

글자를 찾아요

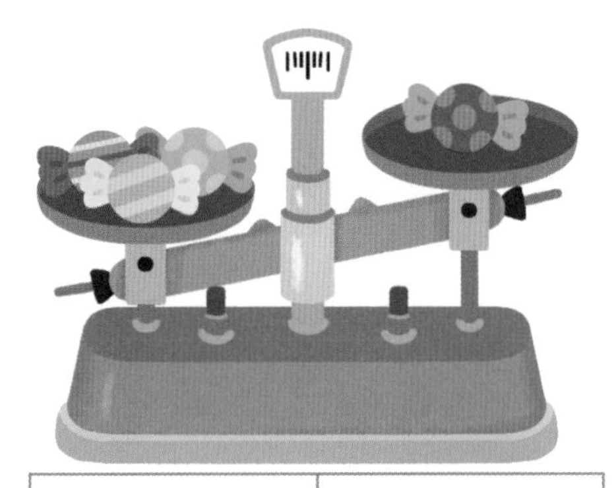

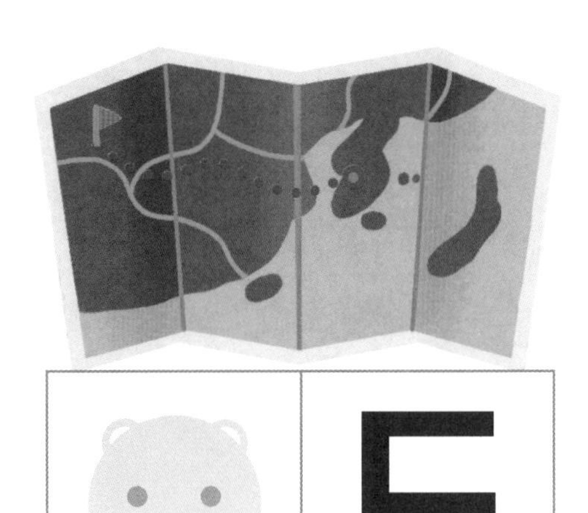

글자를 만들어요

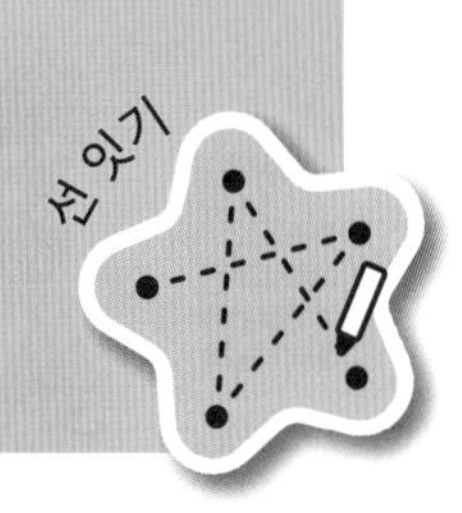

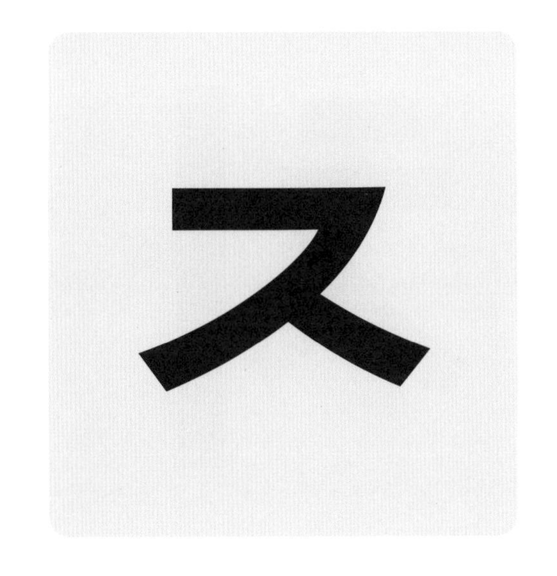

ㅏ 자

ㅑ 쟈

ㅓ 저

ㅕ 져

ㅣ 지

ㅗ	ㅛ	ㅜ	ㅠ	ㅡ
조	죠	주	쥬	즈

글자를 만나요

ㅊ + ㅏ → 차

TIP 이렇게 지도하세요! 자녀와 함께 챈트 영상을 보며 자음자 'ㅊ'과 모음자가 만나 글자가 만들어지는 과정을 재미있게 익혀 보고, 관련된 낱말도 한 번씩 말해 볼 수 있도록 도와주세요. 특히 자녀가 'ㅊ'과 'ㅈ'을 헷갈릴 수 있으므로 두 낱자를 정확히 구별하여 익힐 수 있도록 도와주세요.

ㅊ
ㅗ
→ 초

초록

ㅊ
ㅜ
→ 추

추위

ㅊ
ㅡ
→ 츠

부츠

ㅊ ㅣ → 치

치타

차 를 배워요

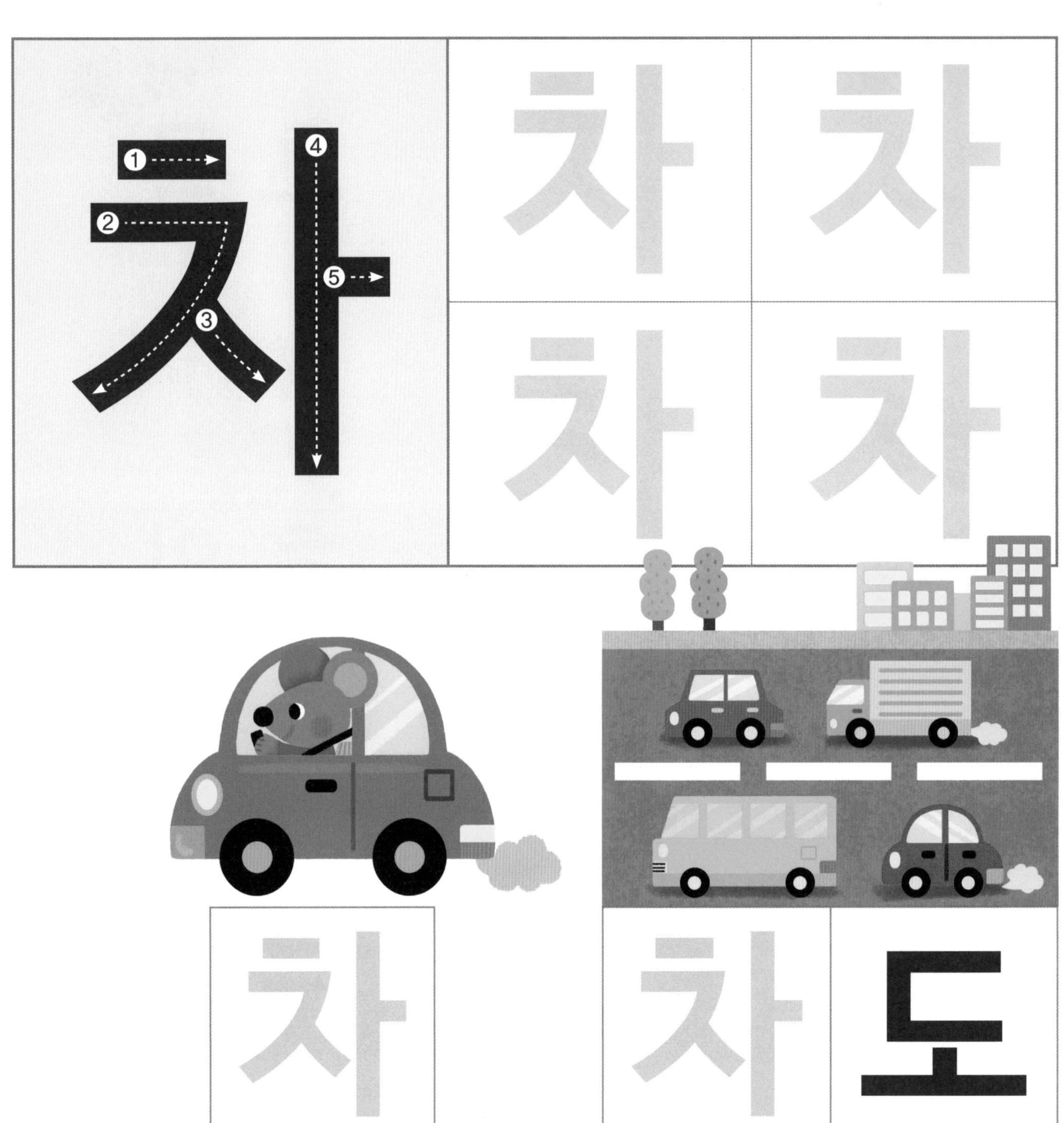

기차표
서울 ▶ 부산
06월21일 12:25 ▶ 15:10
KTX 170열차 10호차 2D석

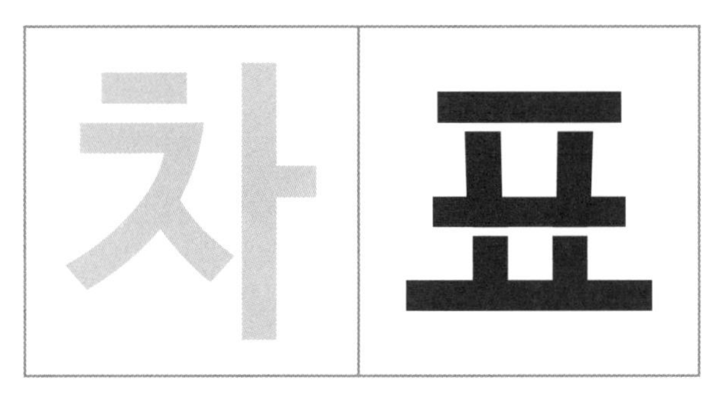

차 를 익혀요

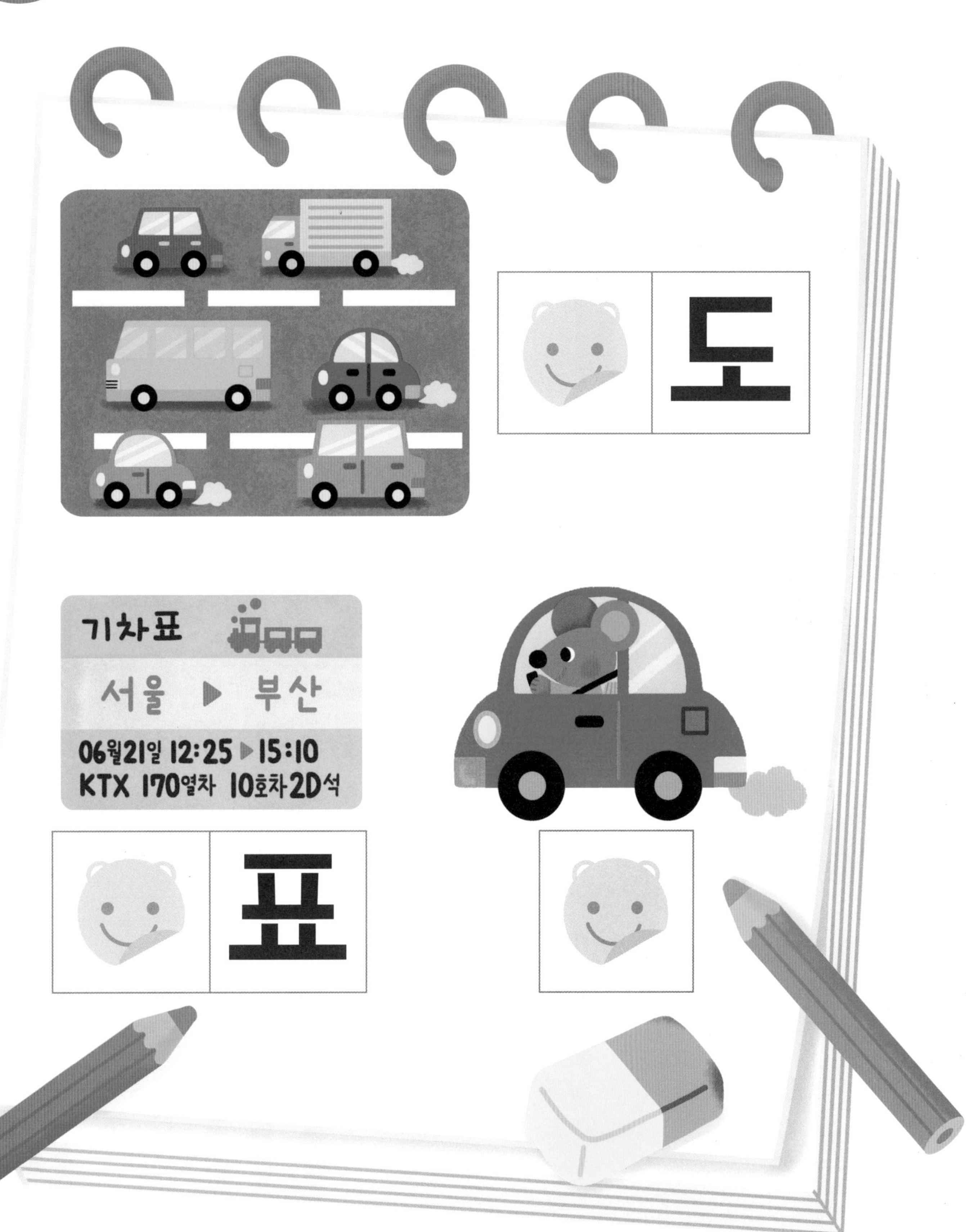

TIP 이렇게 지도하세요! 자녀가 붙임딱지에서 '차'를 찾아 알맞게 붙이고, '차'가 들어간 낱말을 나타내는 그림을 자유롭게 붙일 수 있도록 도와주세요. 그런 다음 완성된 낱말을 그림과 함께 보며 여러 번 읽으면서 '차'의 모양과 소리를 정확하게 익히도록 지도해 주세요.

처 를 배워요

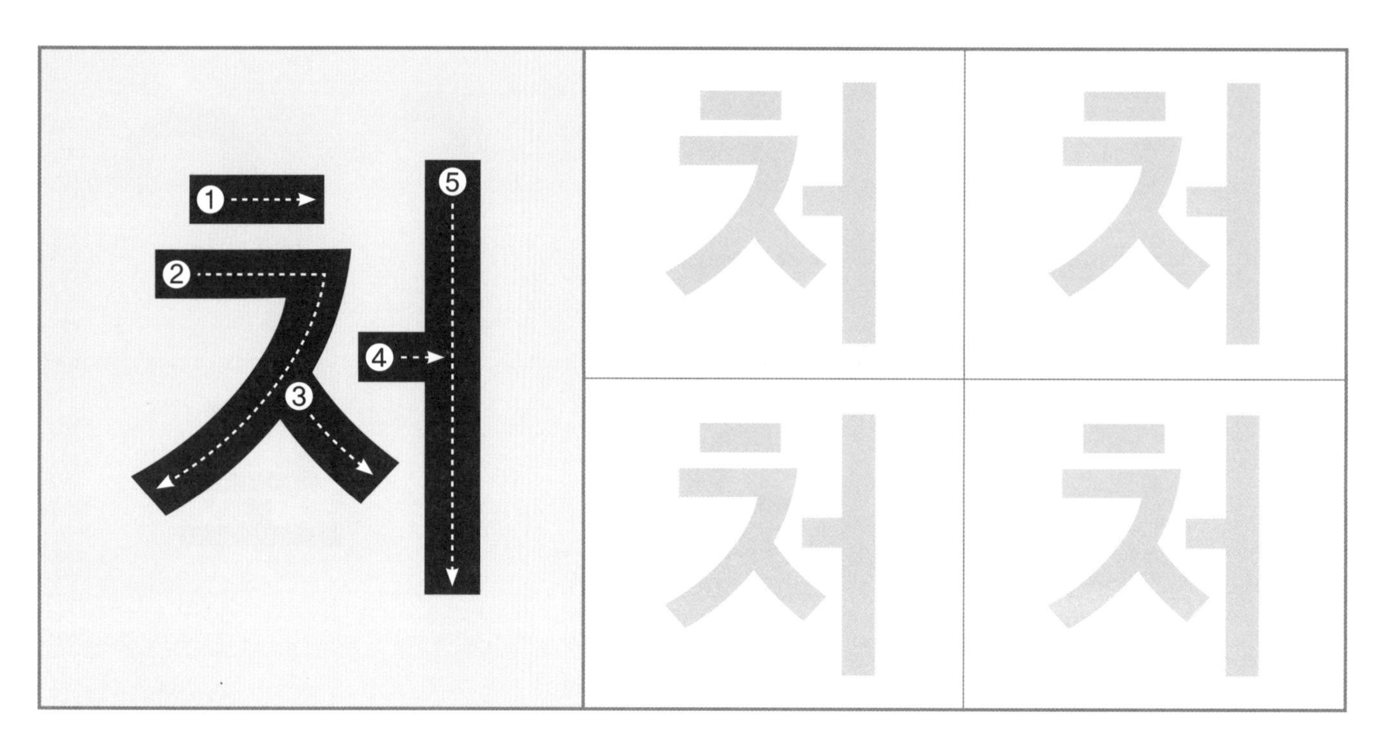

처 를 익혀요

TIP 이렇게 지도하세요! 그림이 나타내는 각 낱말을 차례대로 소리 내어 말해 보고, '처'가 들어간 낱말을 세 개 찾아 ○표 하도록 도와주세요. 그리고 '차표'에는 앞에서 배운 '차'가 들어 있다는 것을 알려 주시고, '처음', '처방전', '상처'를 여러 번 반복해서 말하고 써 보도록 지도해 주세요.

초를 배워요

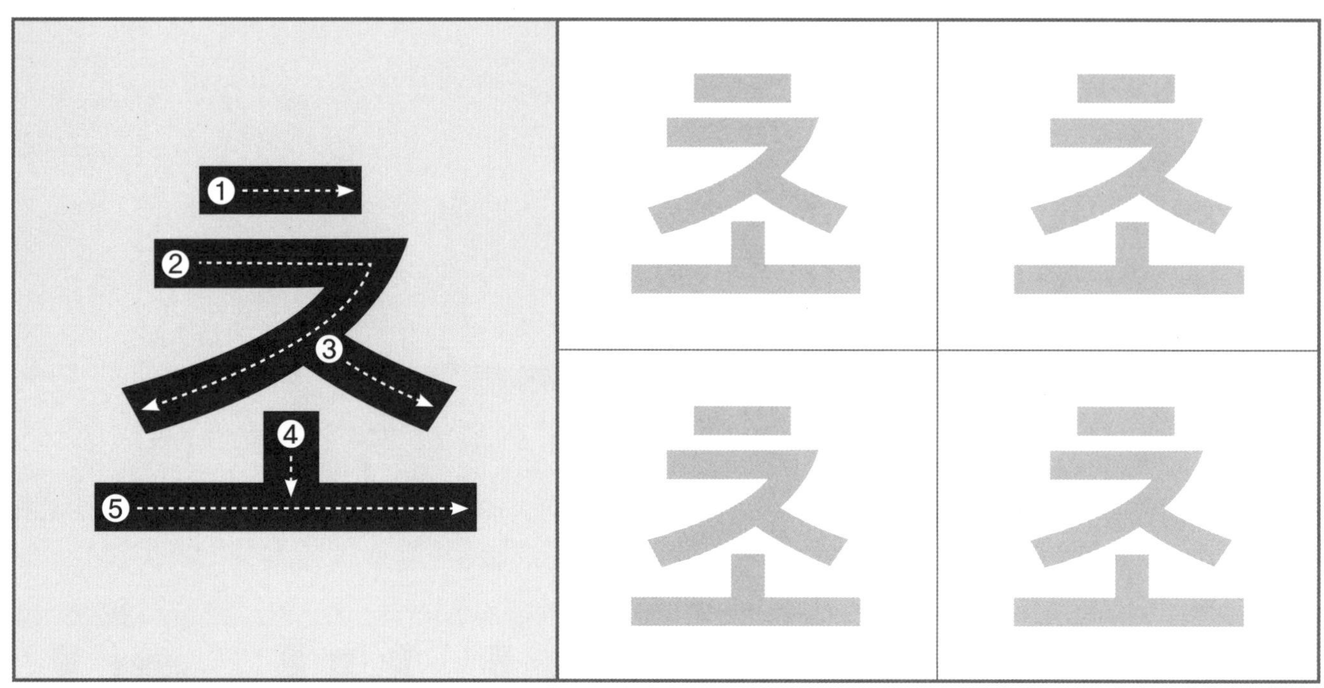

초 를 익혀요

초

	대	장
록		

초

	인	종
밥		

TIP 이렇게 지도하세요! 자녀가 빈칸에 '초'를 써넣어 낱말을 완성할 수 있도록 도와주세요. 그리고 자녀가 글자를 직접 쓰는 과정에서 '초대장', '초록', '초인종', '초밥'이 모두 '초' 자로 시작하는 낱말이라는 것을 이해하게 해 주세요.

추 를 배워요

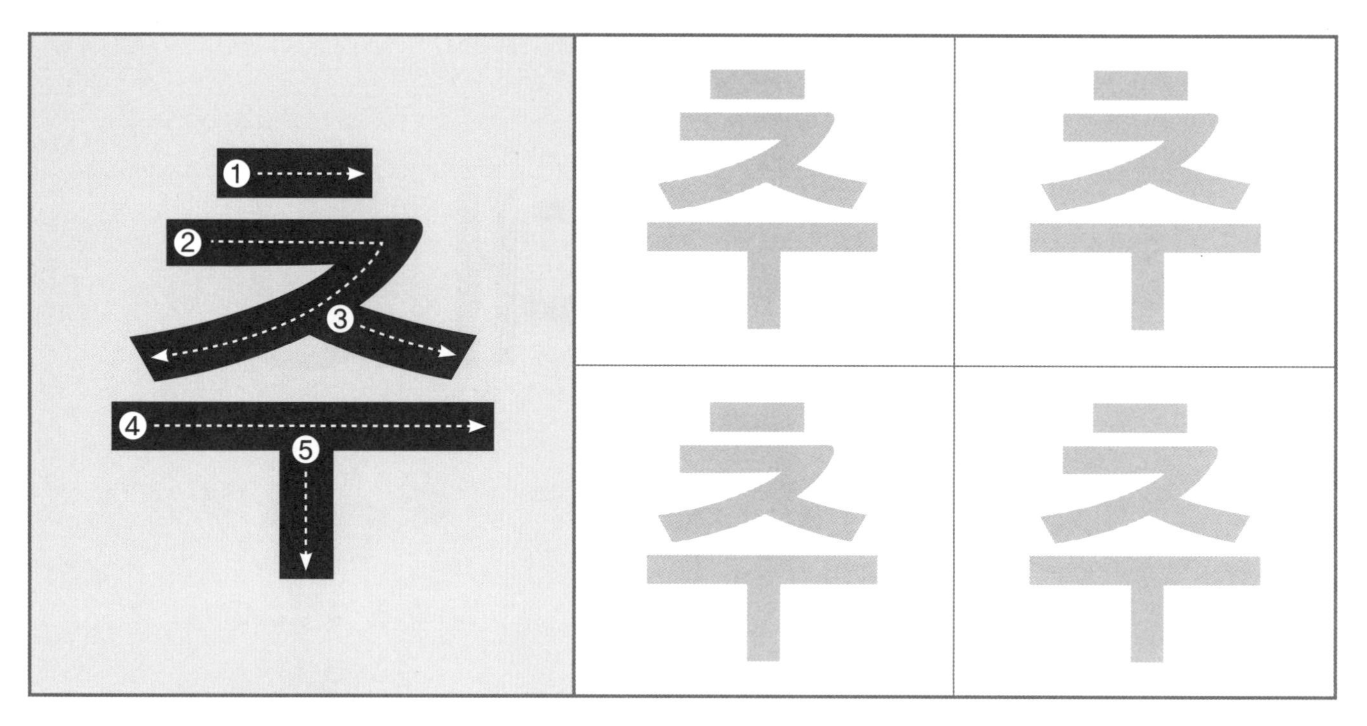

상추

추위

추석

추를 익혀요

TIP 이렇게 지도하세요! 먼저 자녀와 함께 주어진 낱말 네 개를 소리 내어 읽어 보세요. 그런 다음 '추'가 포함된 낱말을 따라 선을 이어서 길을 찾을 수 있도록 도와주세요. 이 과정에서 '추'의 모양과 소리를 정확하게 익히고, '초'와 구별하여 기억할 수 있도록 지도해 주세요.

ㅊ를 배워요

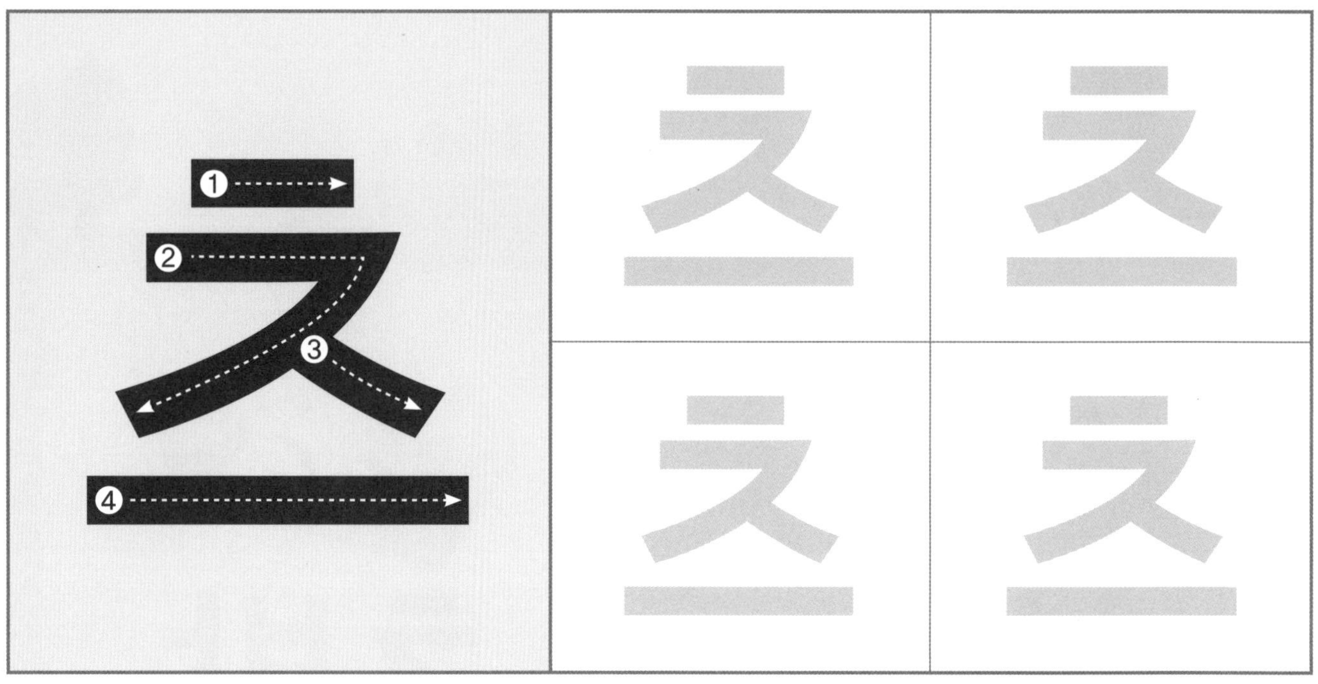

부츠

셔츠

스포츠

츠를 익혀요

셔 | 추 | 츠

부 | 츠 | 차

TIP 이렇게 지도하세요! 자녀에게 그림이 나타내는 낱말을 먼저 말해 보게 한 뒤, 네모 칸의 두 글자 중에서 '츠'를 알맞게 찾아 색칠하도록 도와주세요. '츠'는 주로 외래어에 사용되어 '추'나 '쯔'와 같이 잘못 발음하기 쉽습니다. 'ㅊ' 아래에 모음자 'ㅡ'를 붙여 만든 '츠'를 바르게 소리 내어 읽게 해 주세요.

치 를 배워요

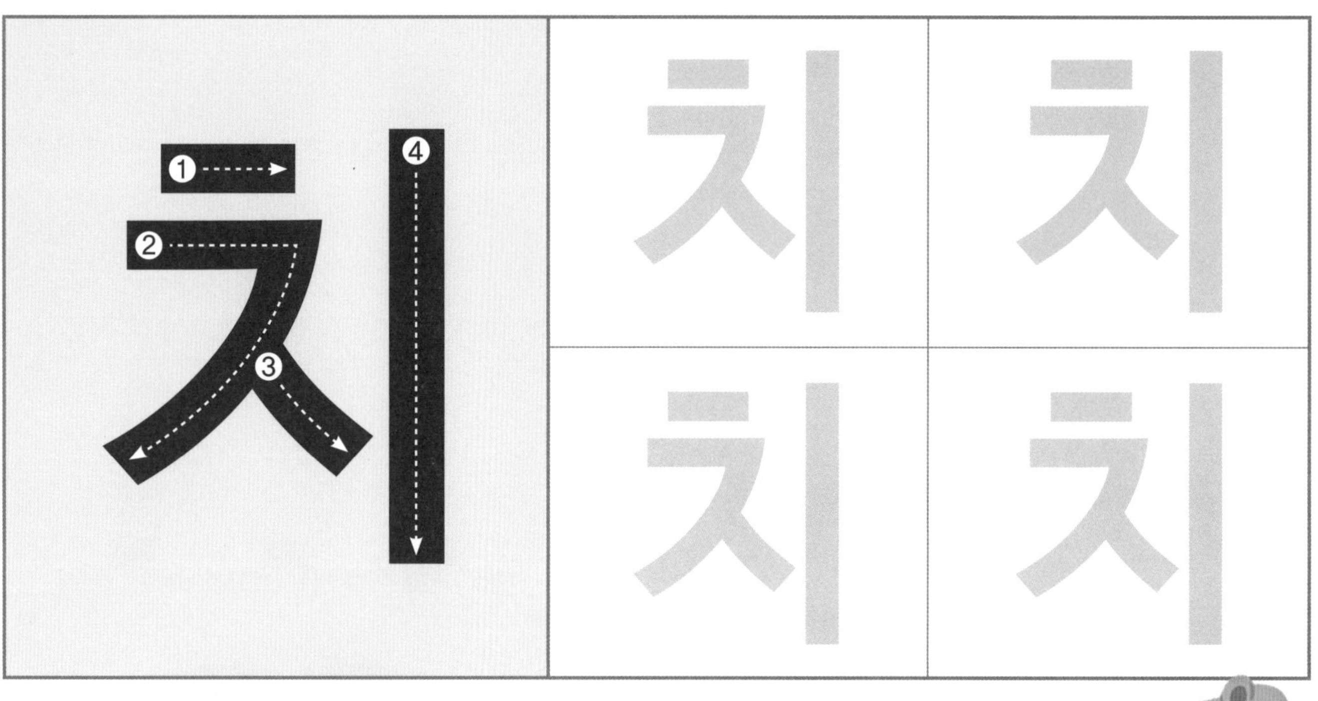

치마

치타

치과

치를 익혀요

추마

치마

치과

처과

츠타

치타

TIP 이렇게 지도하세요! 자녀가 그림과 관련 있는 '치'가 들어간 낱말을 하나씩 찾아 ○표 할 수 있도록 도와주세요. 이 활동에 추가로 앞에서 배운 '차', '처', '초', '추', '츠'가 들어간 낱말도 하나씩 떠올려 보게 해 주시면 '치'와 더 정확하게 구별하여 기억할 수 있어 좋습니다.

글자를 찾아요

글자를 만들어요

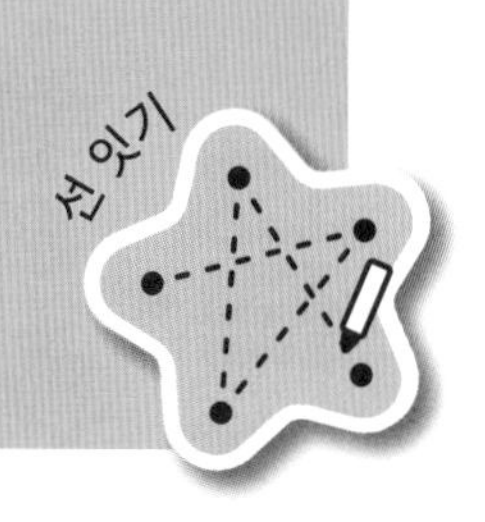

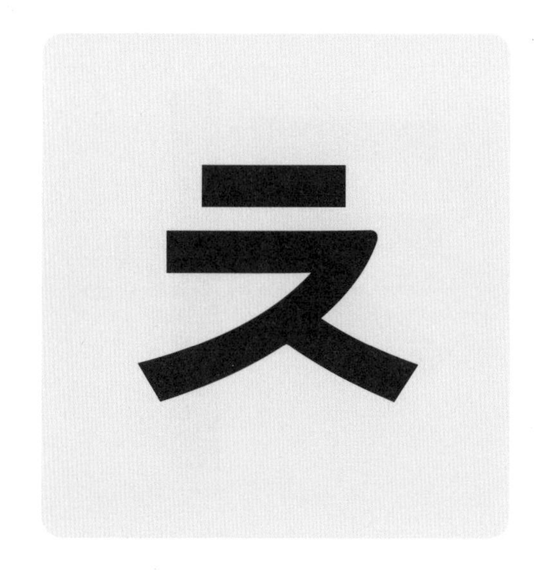

ㅏ 차
ㅑ 챠
ㅓ 처
ㅕ 쳐
ㅣ 치

ㅗ ㅛ ㅜ ㅠ ㅡ

초	쵸	추	츄	츠

글자를 만나요

한글 챈트

ㅋ + ㅏ → 카

TIP 이렇게 지도하세요! 자음자 'ㅋ'과 모음자가 결합해 글자가 만들어지는 원리를 챈트 영상을 통해 쉽게 익혀 보세요. 특히, 자녀가 헷갈리기 쉬운 'ㅋ'과 'ㄱ'의 모양과 소리가 어떻게 다른지 설명해 주시고, 각 글자가 포함된 낱말도 한 번씩 소리 내어 말해 볼 수 있도록 지도해 주세요.

ㅋ
ㅗ
→ 코

코끼리

ㅋ
ㅜ
→ 쿠

쿠키

ㅋ
ㅡ
→ 크

크림

ㅋ ㅣ → 키

키위

카 를 배워요

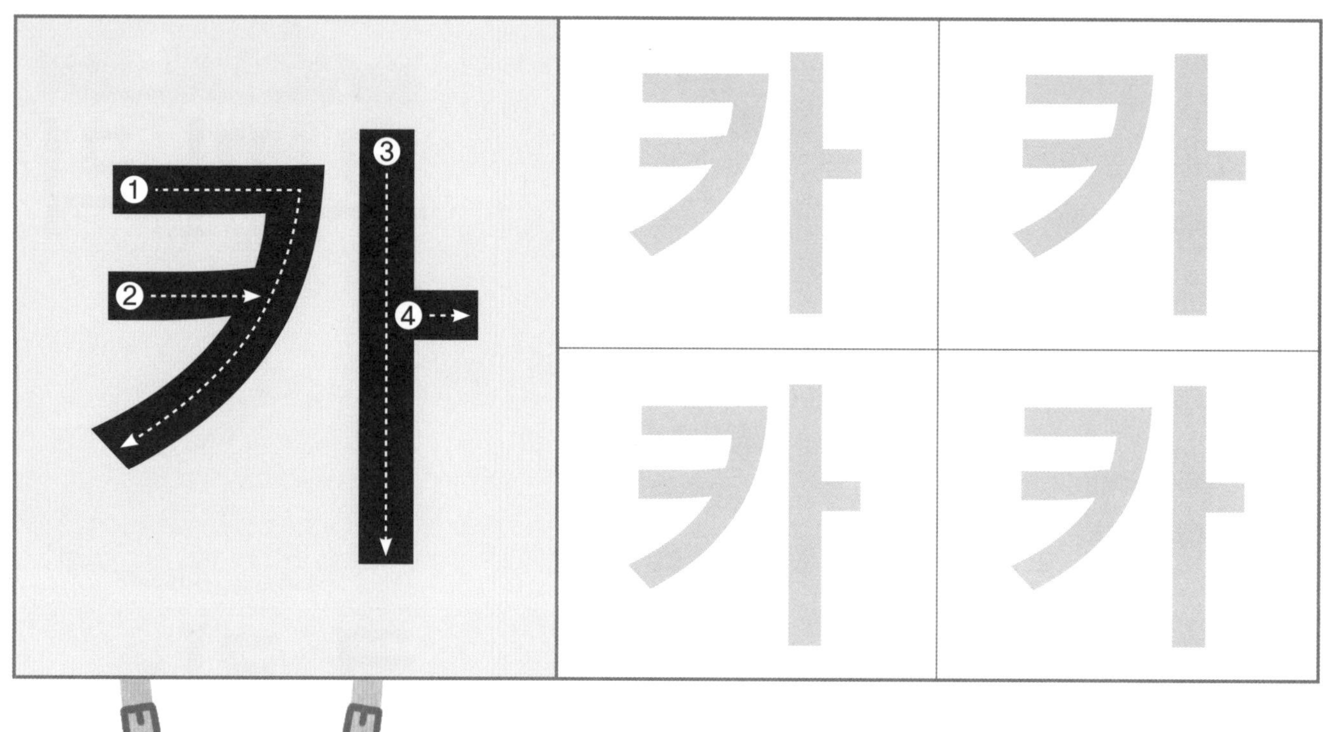

카	메	라

카	레

카	네	이	션

카 를 익혀요

TIP 이렇게 지도하세요! 자녀가 붙임딱지에서 '카'를 찾아 알맞게 붙여 낱말을 완성하고, 여러 번 소리 내어 읽을 수 있도록 도와주세요. 또, 주어진 낱말 외에 '카'가 들어간 낱말(예: 카드, 리어카, 범퍼카)을 더 찾아보며 아이가 글자 '카'와 낱말을 재미있게 익힐 수 있도록 지도해 주세요.

커 를 배워요

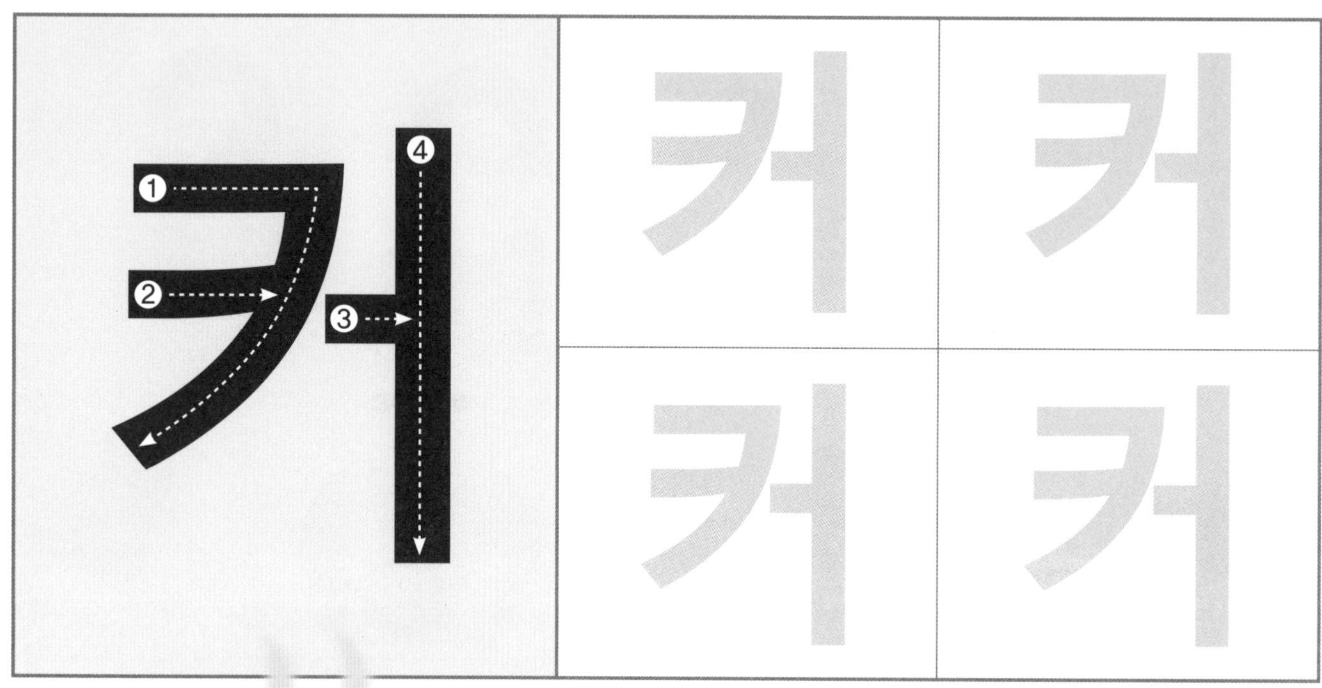

커	피

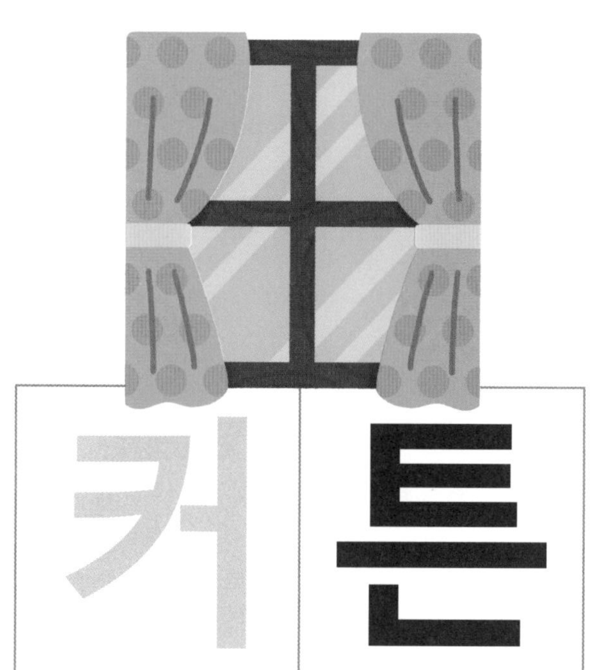

커	튼

스	피	커

커 를 익혀요

TIP 이렇게 지도하세요! 자녀와 그림을 함께 살펴보며 낱말을 소리 내어 읽어 보고, 자녀가 '커'가 들어간 낱말을 세 개 찾아 ○표 할 수 있도록 도와주세요. 특히 자녀가 먼저 배운 '카'와 '커'를 확실하게 구별하여 익힐 수 있도록 지도해 주세요.

코 를 배워요

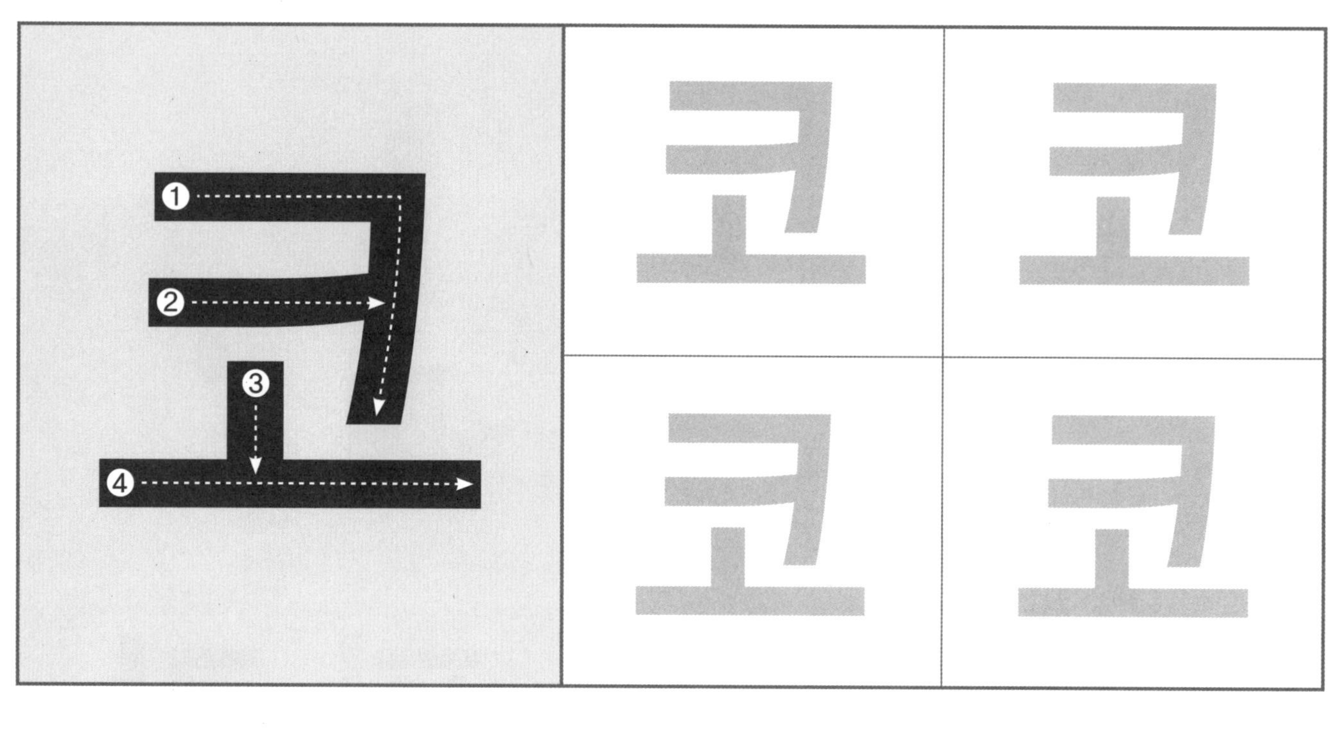

코 를 익혀요

TIP 이렇게 지도하세요! 자녀가 그림이 나타내는 낱말을 말해 보고, 빈칸에 '코'를 써넣어 낱말을 완성하도록 지도해 주세요. 이때 자녀에게 '코'를 쓸 때는 한 획으로 'ㄱ'을 쓴 다음 가운데 부분에 가로획을 그어 'ㅋ'을 완성하고, 그 아래에 모음자를 차례대로 써야 한다는 것을 직접 보여 주세요.

쿠를 배워요

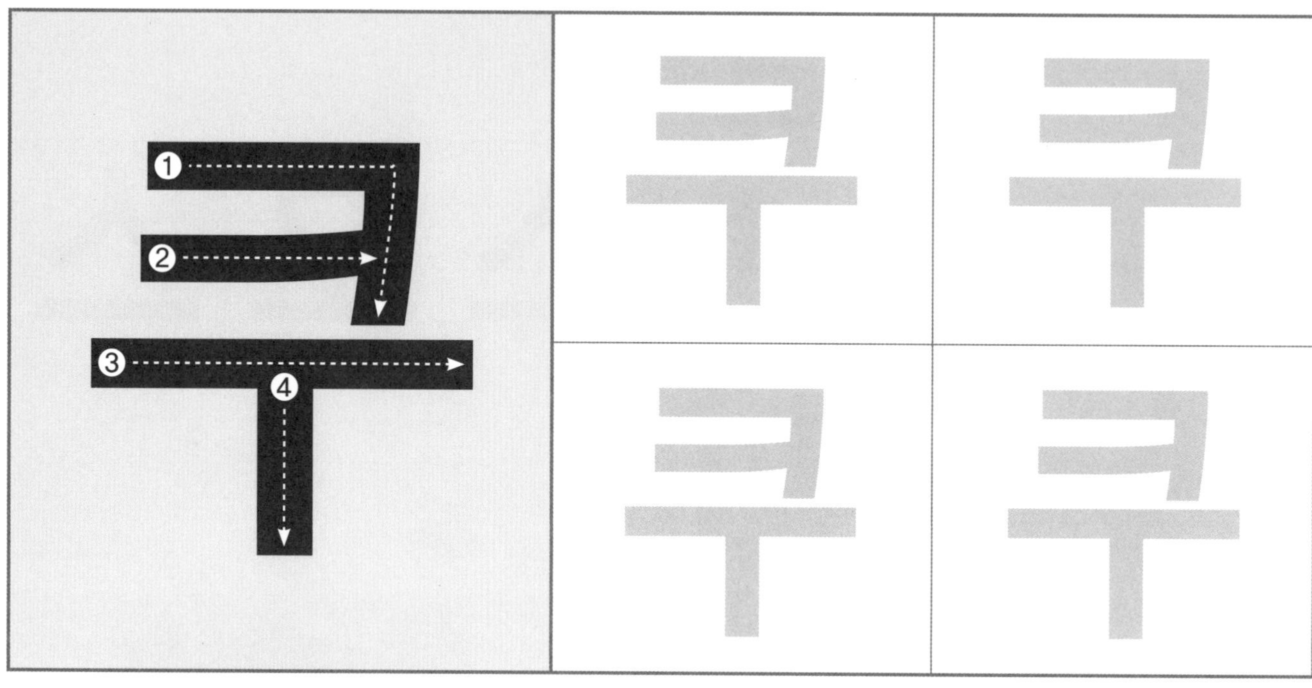

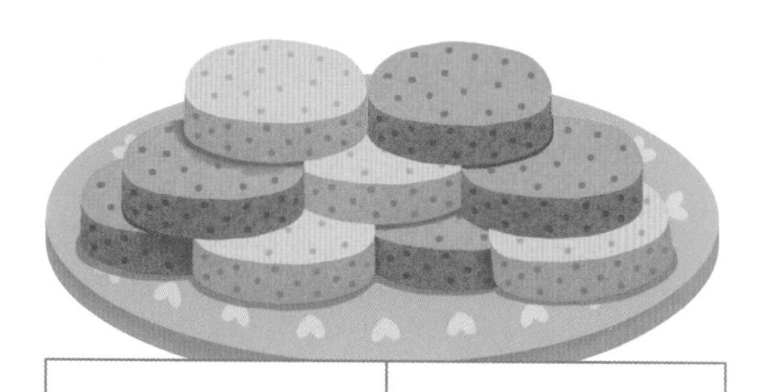

쿠	키

쿠	폰

쿠를 익혀요

TIP 이렇게 지도하세요! 먼저 자녀와 함께 낱말들을 소리 내어 읽어 보고, 자녀가 '쿠'가 포함된 낱말을 따라 선을 이어서 길을 찾을 수 있도록 도와주세요. 이 과정에서 '쿠'의 모양과 소리를 정확하게 익히고, '코'와 구별하여 기억할 수 있도록 지도해 주세요.

크 를 배워요

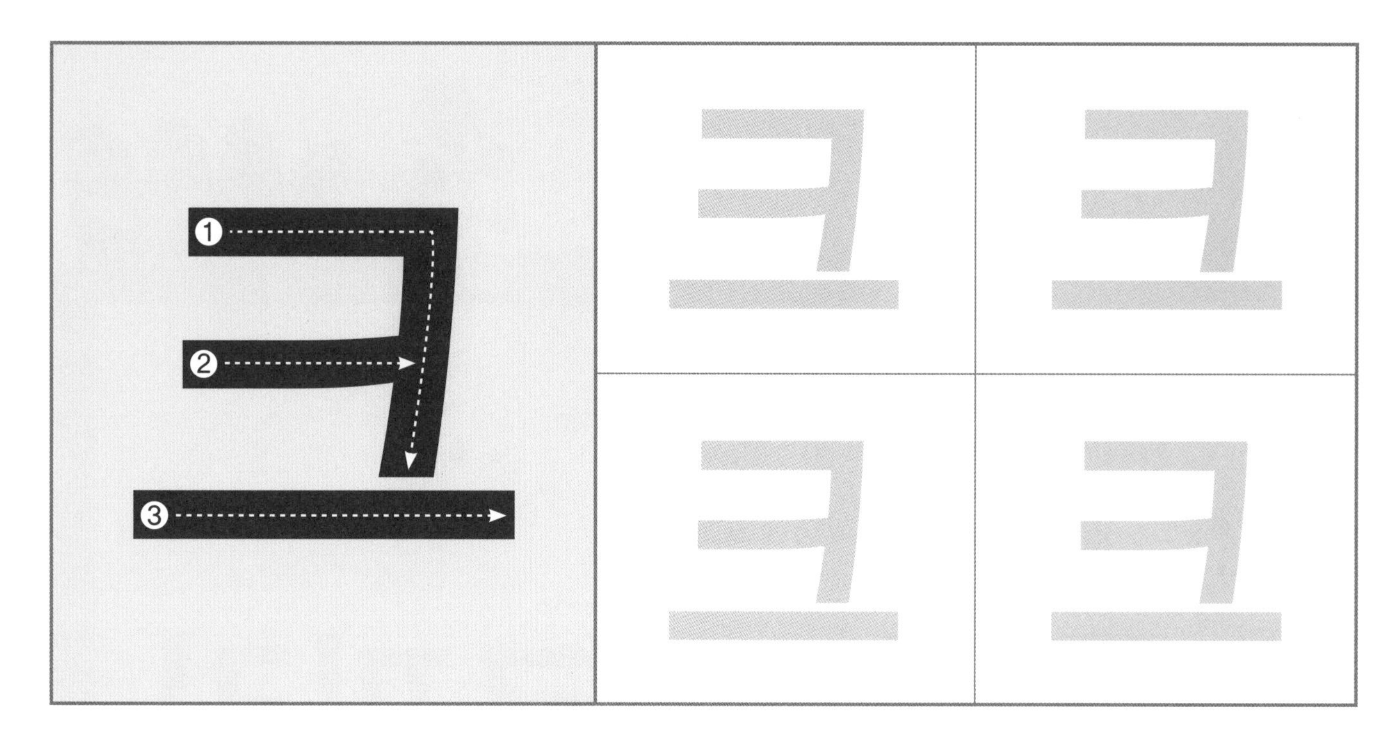

크 를 익혀요

쿠	크	림

케	이	크	커

코	크	레	파	스

TIP 이렇게 지도하세요! 자녀가 네모 칸에 쓰인 두 글자 중에서 '크'를 알맞게 찾아 색칠할 수 있도록 도와주세요. '크'뿐만 아니라 네모 칸 밖의 다른 글자들도 함께 여러 번 말해 보면서 각 글자들의 모양과 소리를 정확히 알고 전체 낱말을 기억하게 지도해 주세요.

키 를 배워요

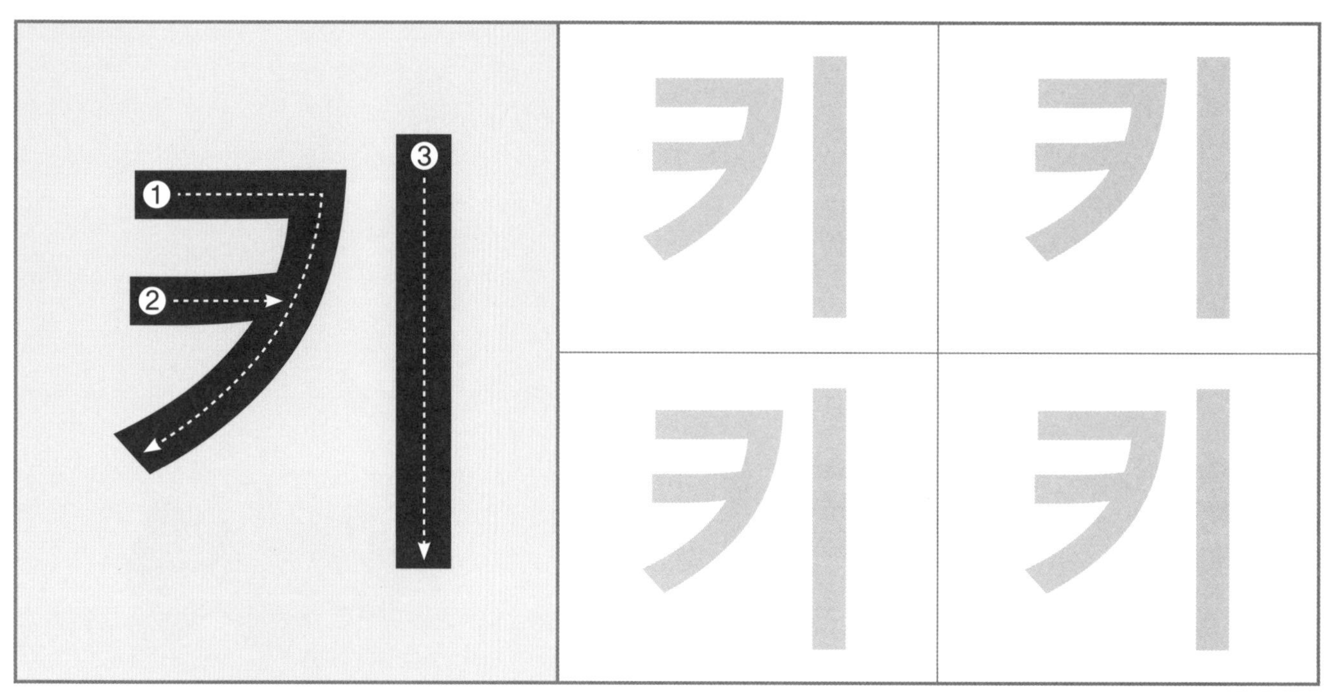

키를 익혀요

하	키
하	카

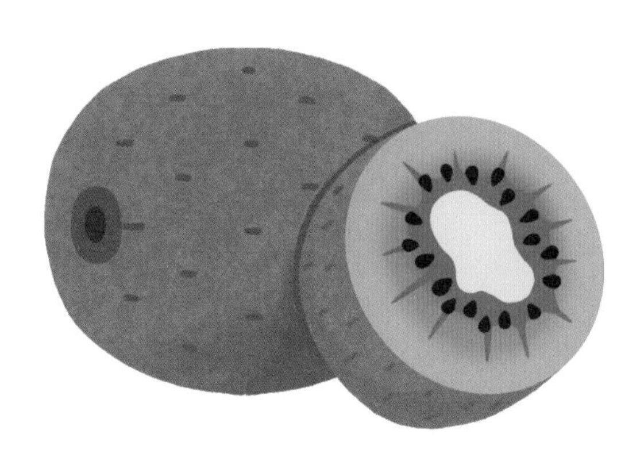

키	위
코	위

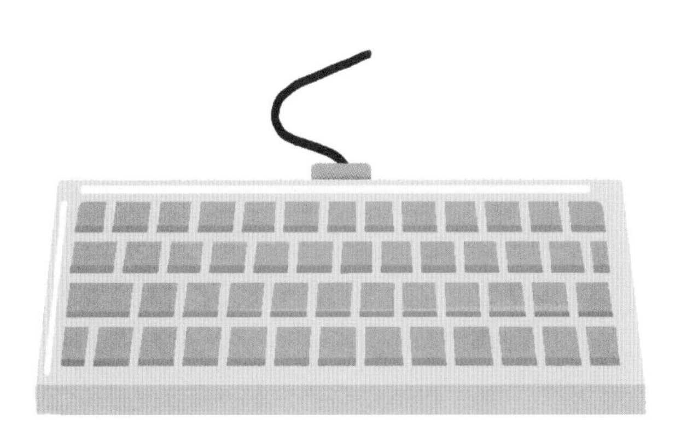

키	보	드
커	보	드

TIP 이렇게 지도하세요! 자녀가 그림만 보고 어떤 낱말일지 짐작해 보고, '키'가 알맞게 쓰인 것을 찾아 ○표 하도록 지도해 주세요. '카', '커', '코', '쿠', '크', '키'를 구별하는 활동을 반복적으로 하다 보면 'ㅋ'이 모두 들어 있어도 모음자에 따라 글자가 달라지는 점을 아이 스스로 이해할 수 있게 됩니다.

글자를 찾아요

 레

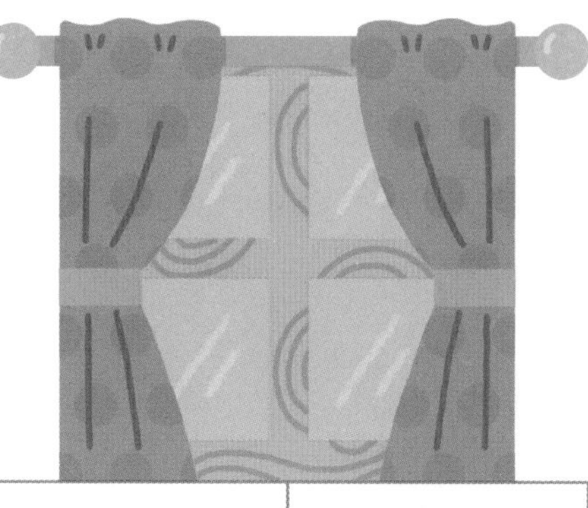

 튼

 션

케 이 

 끼 리

하 

글자를 만들어요

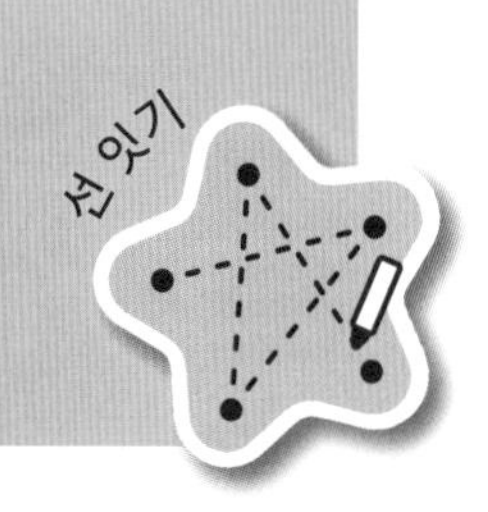

ㅏ 카

ㅑ 캬

ㅓ 커

ㅕ 켜

ㅣ 키

ㅗ ㅛ ㅜ ㅠ ㅡ

코	쿄	쿠	큐	크

글자를 만나요

ㅌ + ㅏ → 타

TIP 이렇게 지도하세요! 자녀와 함께 챈트 영상을 보며 자음자 'ㅌ'과 모음자가 만나 글자가 만들어지는 원리를 쉽게 공부해 보세요. 각 글자를 여러 번 소리 내어 말해 보고, 모양과 소리를 구별할 수 있도록 지도해 주세요. 또, 자녀가 각 글자가 포함된 낱말도 한 번씩 말해 볼 수 있도록 도와주세요.

ㅌ
ㅗ
토
토 끼
ㅌ
ㅜ
투
투표함
투 표
ㅌ
ㅡ
트
마 트
ㅌ ㅣ
티
파 티

타 를 배워요

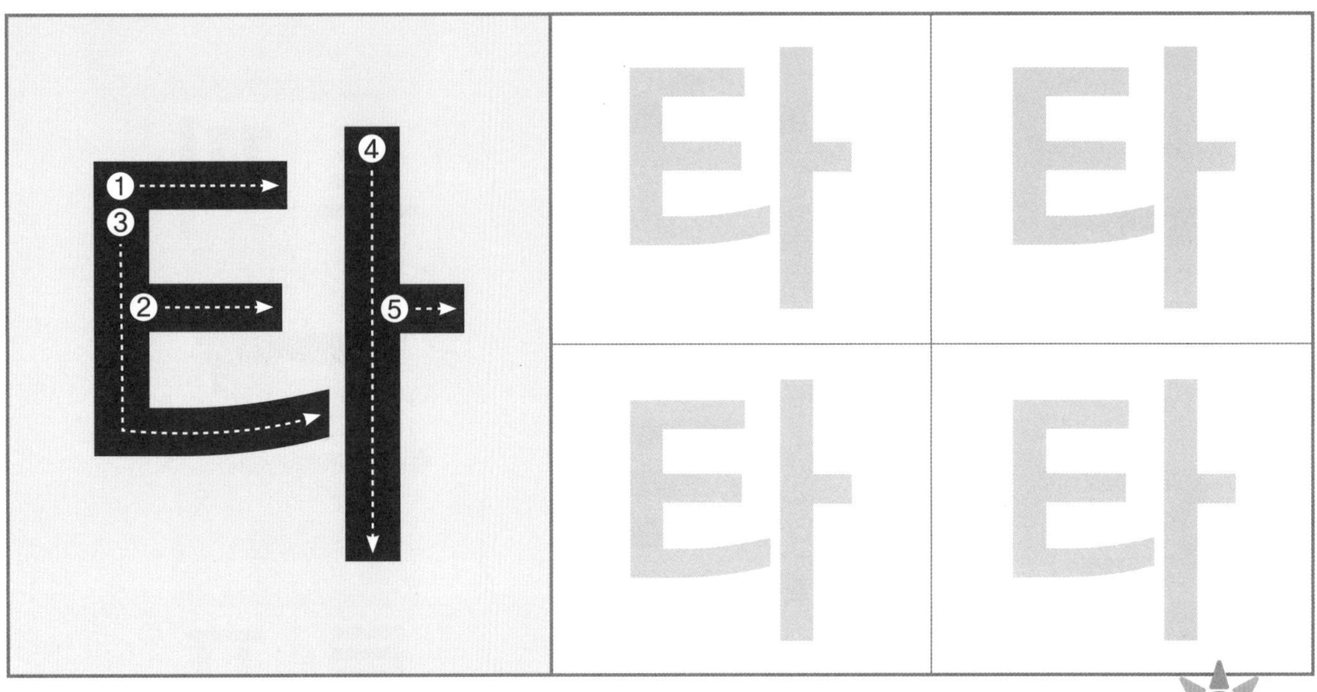

타	조

낙	타

타	이	어

타 를 익혀요

TIP 이렇게 지도하세요! 붙임딱지에서 '타'를 찾아 알맞은 곳에 붙이고, '타'가 들어간 낱말을 나타내는 그림을 자녀가 원하는 곳에 붙일 수 있도록 도와주세요. 완성된 낱말과 그림을 함께 보며 여러 번 소리 내어 말하면서 '타'와 낱말을 자연스럽게 익히도록 지도해 주세요.

터를 배워요

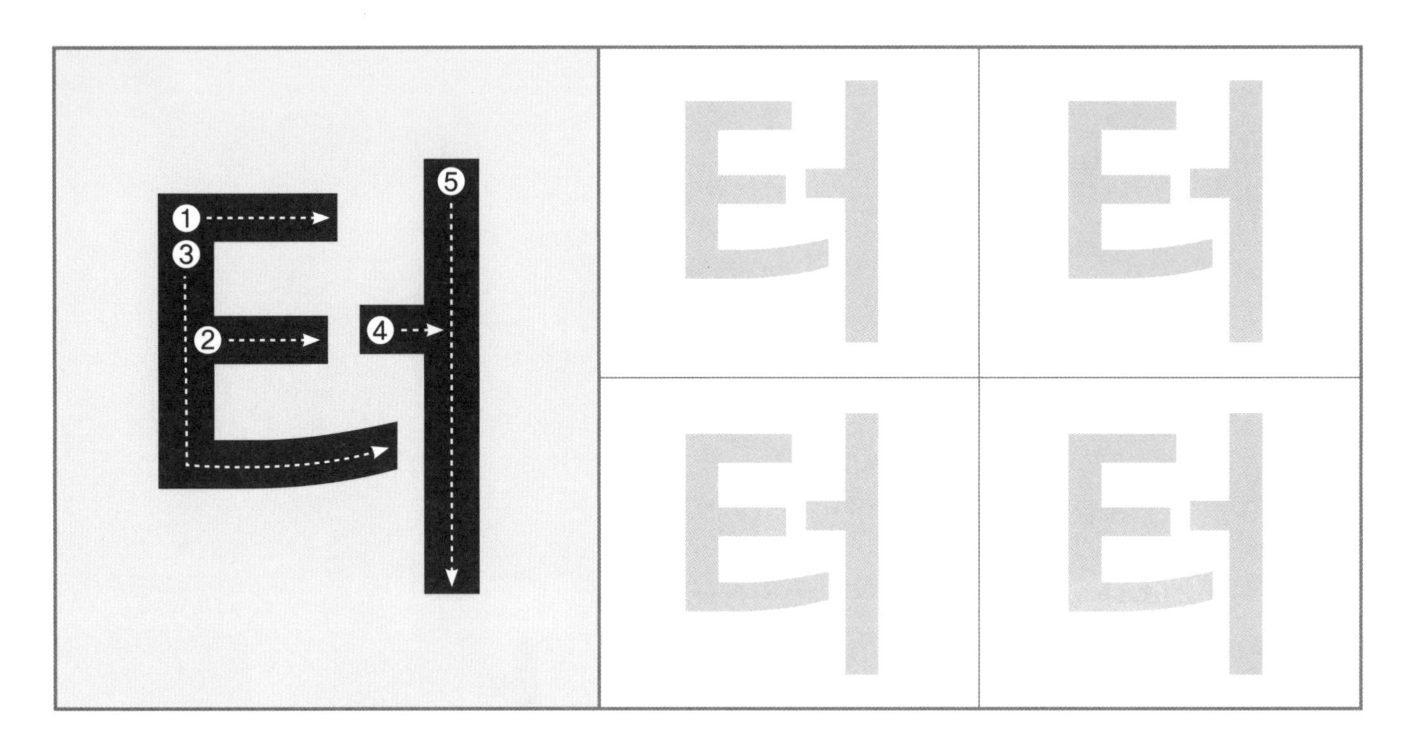

터 를 익혀요

TIP 이렇게 지도하세요! 자녀가 혼자 '터'가 들어간 낱말을 찾아 ○표 할 수 있는지 지켜봐 주세요. '터널', '배터리', '놀이터'에는 '터'가 있고, '타이어'에는 앞에서 배운 '타'가 있다는 점을 자녀가 바르게 이해하고 문제를 풀었는지 확인해 주세요.

토 를 배워요

토 를 익혀요

TIP 이렇게 지도하세요! 자녀와 함께 그림과 관련된 낱말을 말해 보고, 자녀가 빈칸에 '토'를 써넣어 낱말을 완성하도록 도와주세요. 글자를 쓰는 과정에서 '토'의 모양과 소리를 정확하게 기억할 수 있도록 지도해 주시고, 완성된 낱말을 다시 반복해서 말해 보게 해 주세요.

투 를 배워요

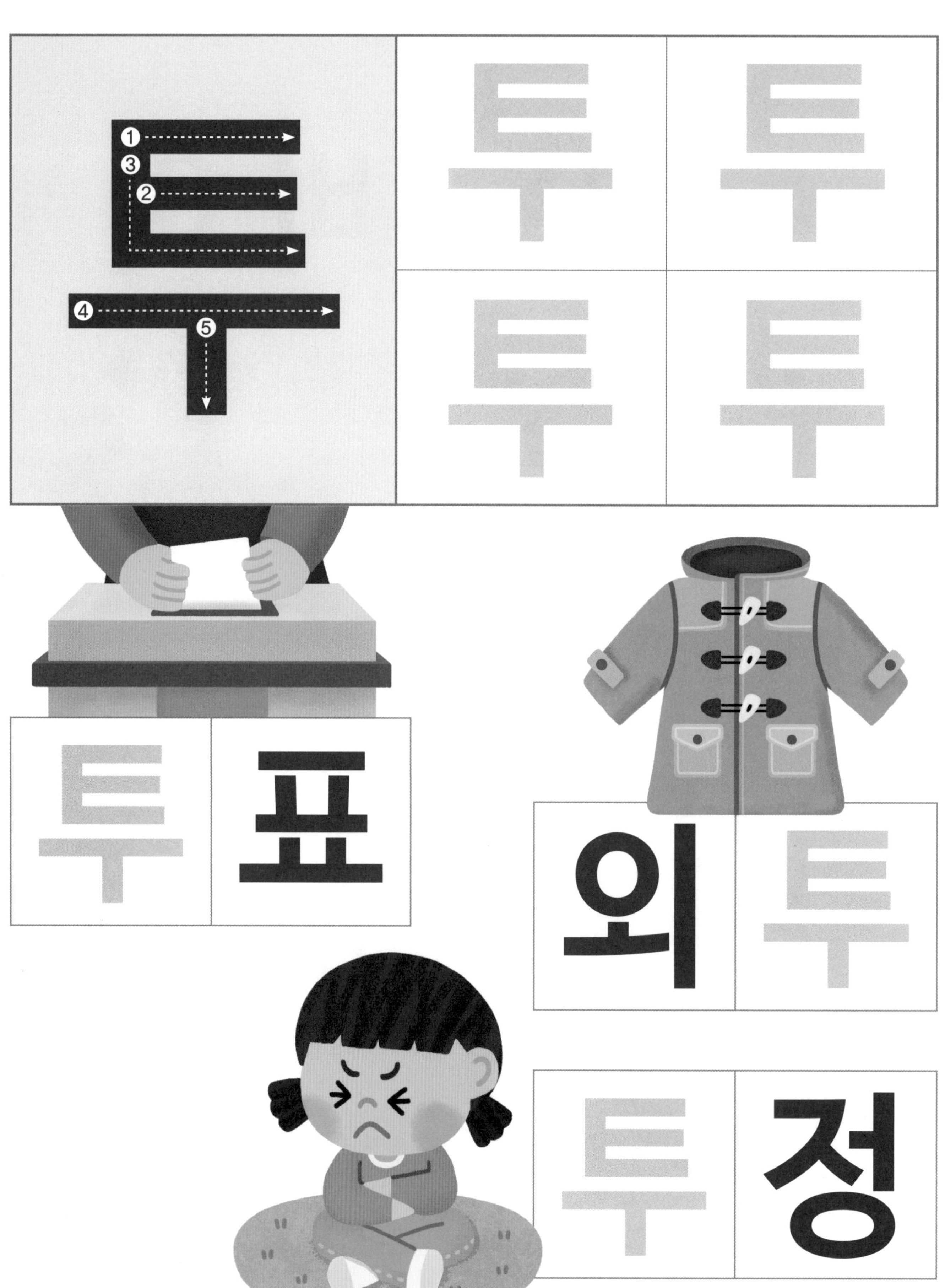

투 를 익혀요

TIP 이렇게 지도하세요! '투'가 포함된 낱말을 따라 선을 잇도록 지도해 주세요. 자녀가 '투표'나 '외투'와 같은 말의 뜻을 궁금해하면 국어사전적 의미보다는 아이의 일상생활과 관련지어 설명해 주세요.

트 를 배워요

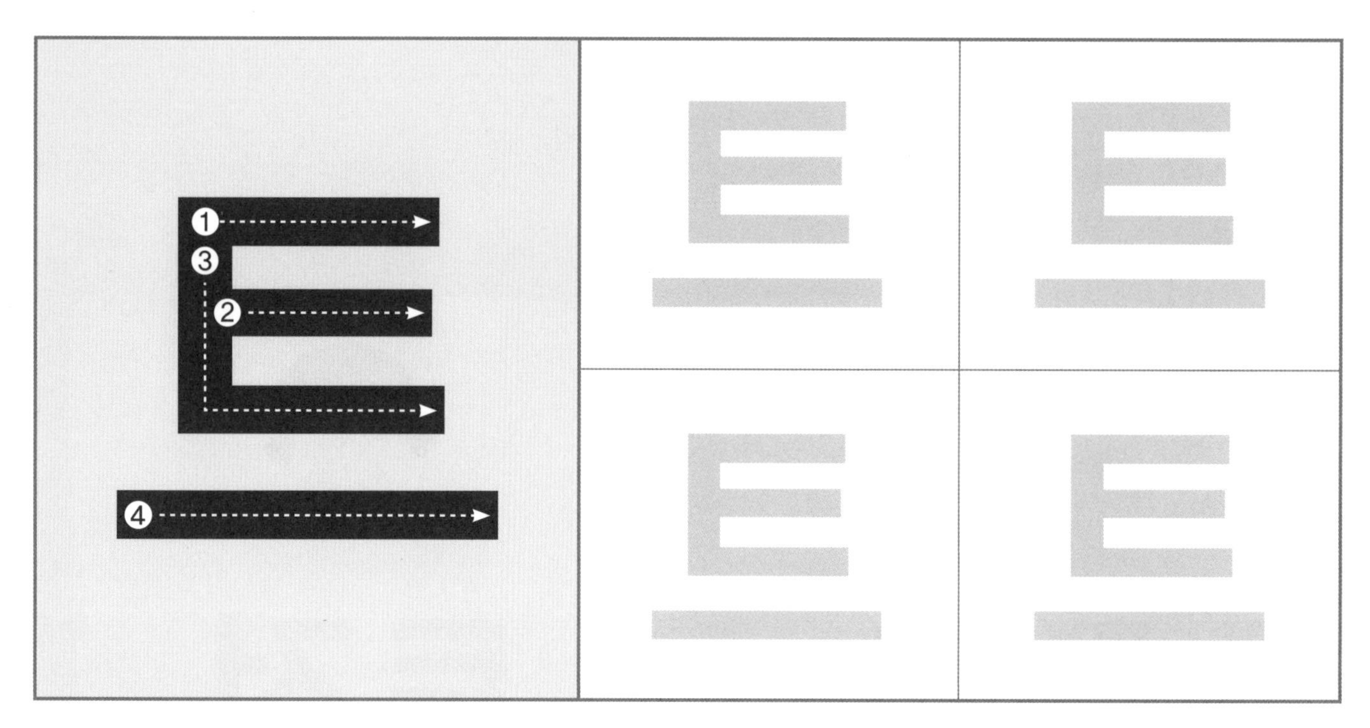

트 를 익혀요

타	트	럭

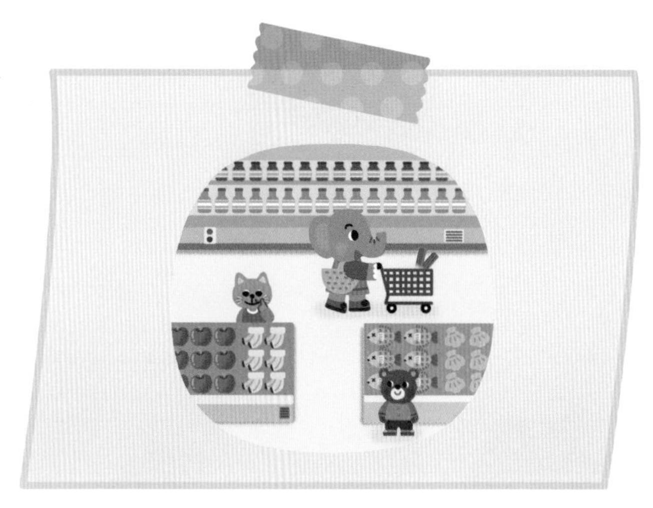

마	트	터

투	트	로피

TIP 이렇게 지도하세요! 자녀와 함께 그림과 관련된 낱말을 말해 보고, 자녀가 제시된 두 글자 중에서 '트'를 찾아 색칠하도록 도와주세요. 그리고 완성된 낱말을 다시 읽어 보고, 자녀가 '트'와 다른 글자들의 모양과 소리를 정확하게 구별하고 기억하도록 지도해 주세요.

티 를 배워요

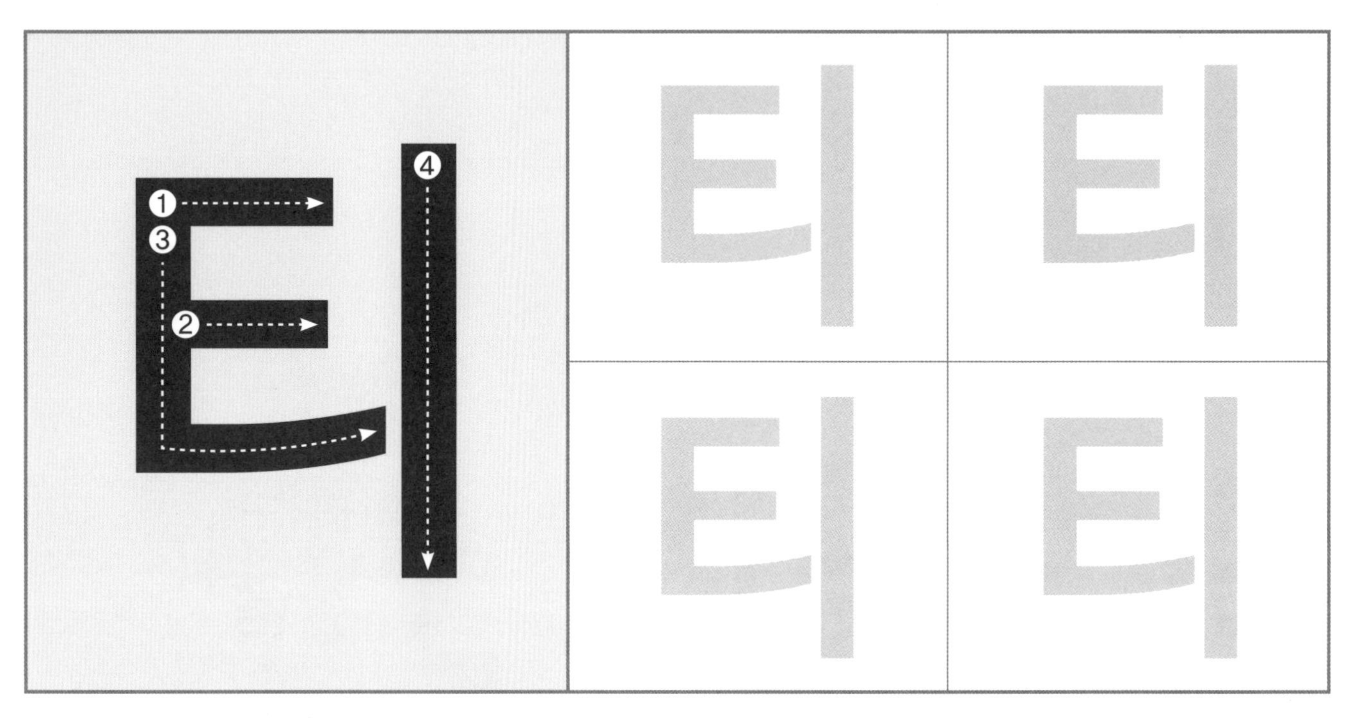

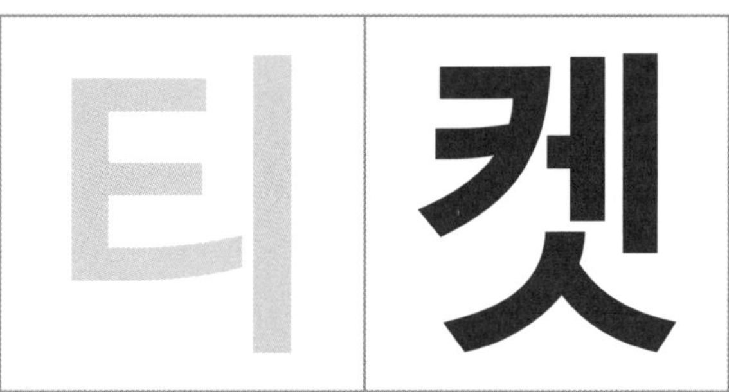

버스 티켓

서울 ➡ 대구

출발	도착	좌석
13:20	08:50	18

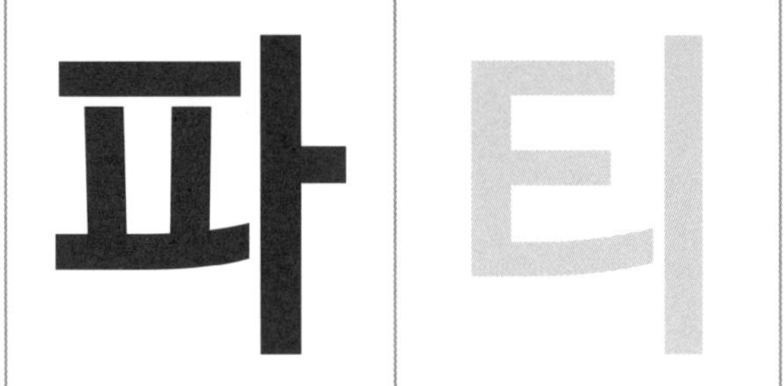

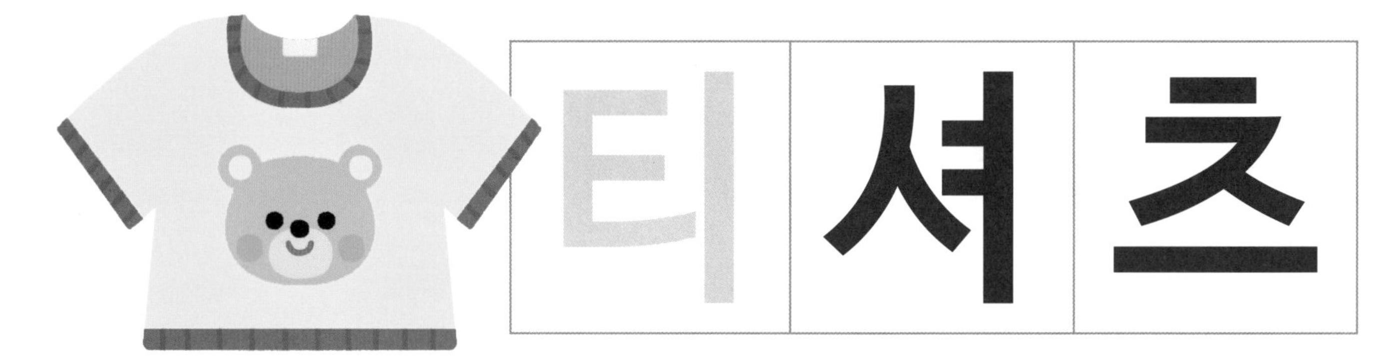

티 를 익혀요

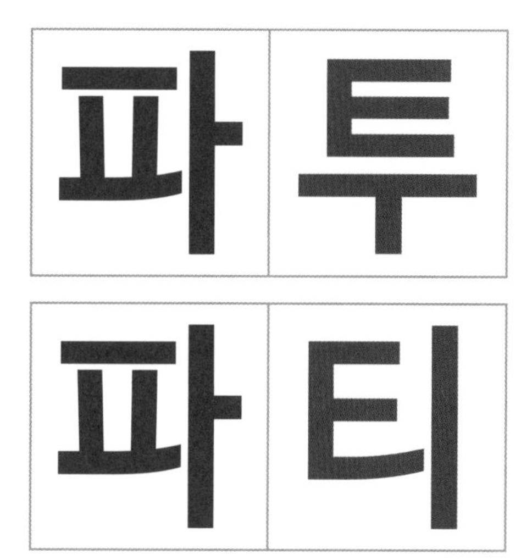

TIP 이렇게 지도하세요! 자녀가 주어진 낱말 중에서 '티'가 알맞게 쓰인 것을 찾아 ○표 할 수 있도록 도와주세요. 'ㅌ'이 들어가 복잡해 보이는 낱말도, 여러 번 소리 내어 읽으면서 눈으로 익히면 분명히 기억할 수 있습니다.

글자를 찾아요

파	

낙	

외	

놀	이	

마	

도		리

글자를 만들어요

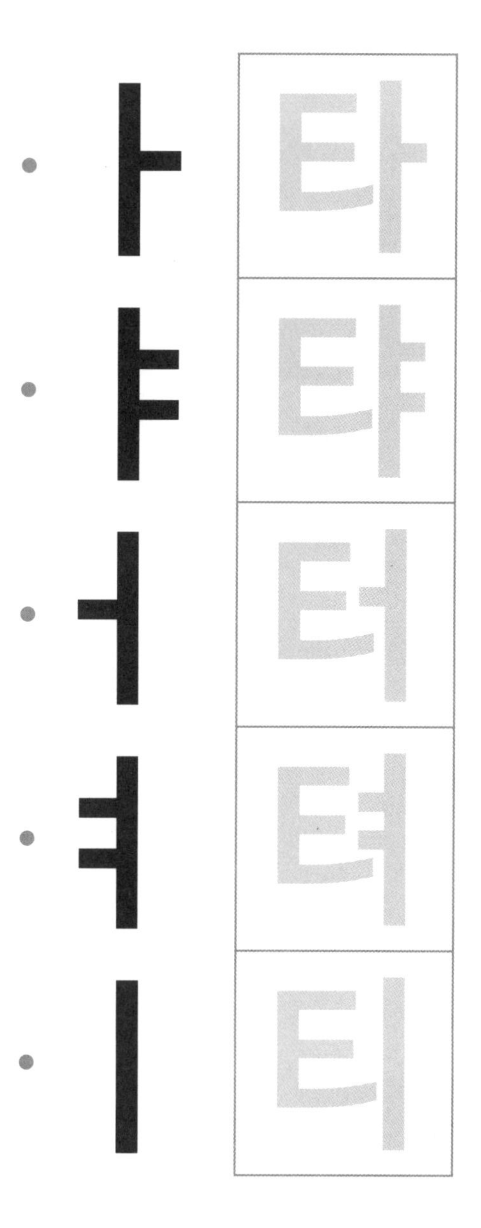

ㅗ	ㅛ	ㅜ	ㅠ	ㅡ
토	툐	투	튜	트

글자를 만나요

TIP 이렇게 지도하세요! 자녀와 함께 챈트 영상을 보며 자음자 'ㅍ'과 모음자가 만나 글자가 만들어지는 과정을 재미있게 익혀 보고, 관련된 낱말도 한 번씩 발음해 보세요. 그리고 자녀가 글자의 결합 원리를 자연스럽게 이해할 수 있도록 여러 번 반복하여 학습시켜 주세요.

ㅍ
ㅗ
포
포도
ㅍ
ㅜ
푸
푸딩
ㅍ
ㅡ
프
점프
ㅍ
ㅣ
피
피자

파 를 배워요

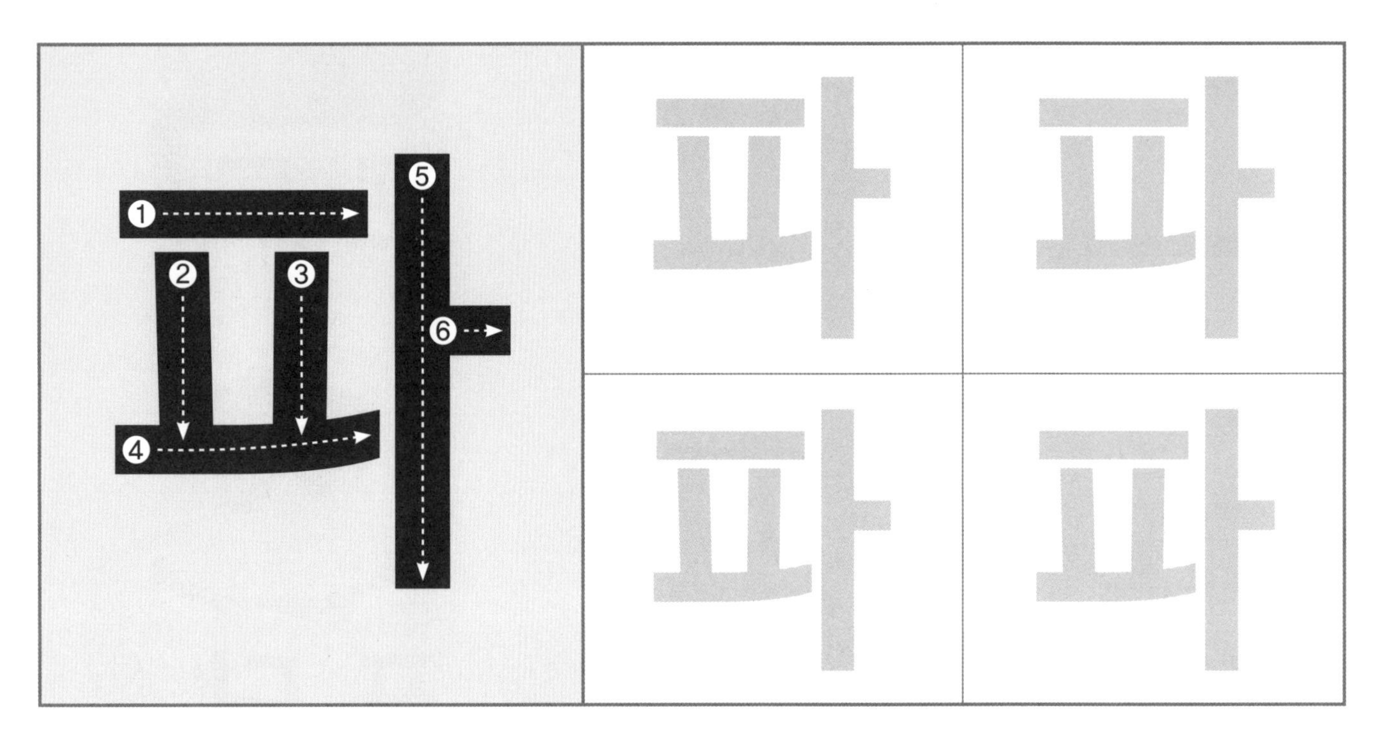

파 를 익혀요

TIP 이렇게 지도하세요! 자녀가 붙임딱지에서 '파'를 찾아 알맞게 붙이고, '파'가 들어간 낱말을 나타내는 그림을 자유롭게 붙이도록 해 주세요. 붙임딱지를 붙여 완성한 낱말을 여러 번 읽고 쓰면서 글자 '파'와 '파'가 들어 있는 낱말을 확실하게 익힐 수 있게 지도해 주세요.

퍼 를 배워요

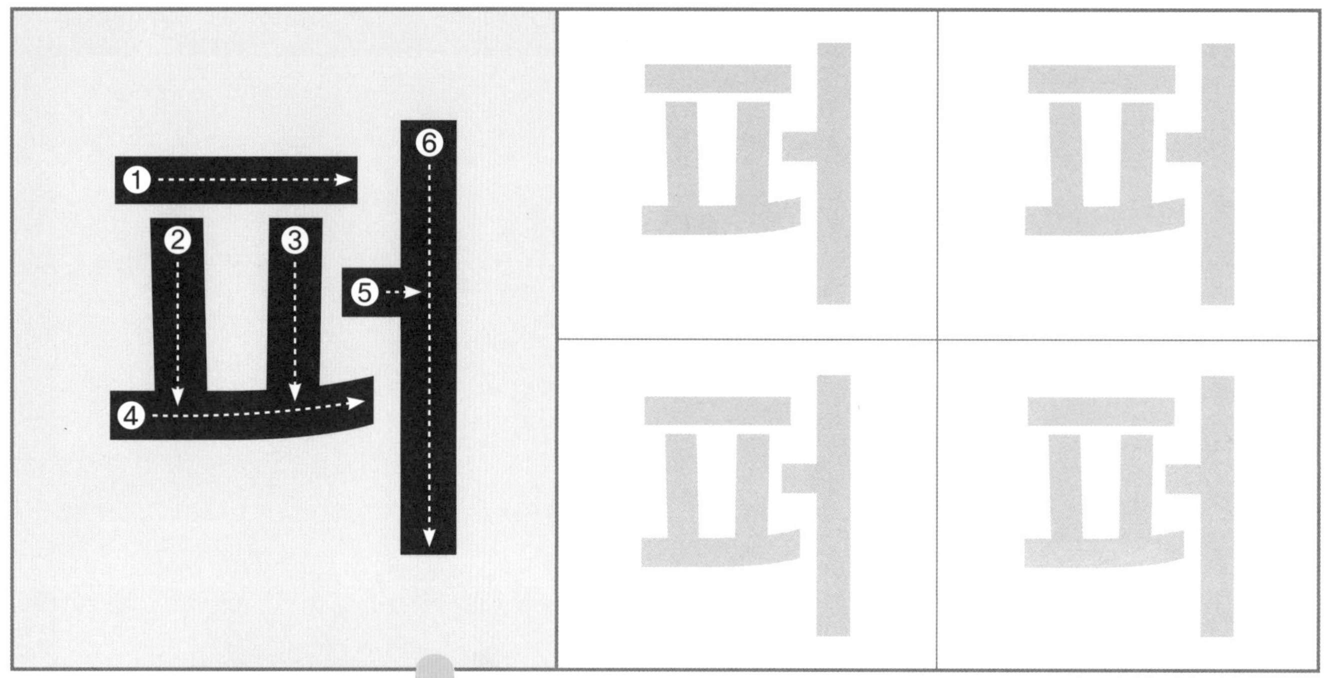

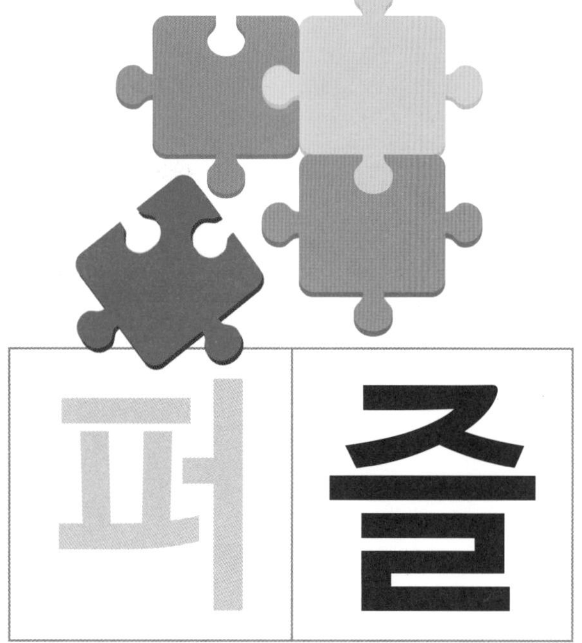

퍼	즐

점	퍼

골	키	퍼

퍼 를 익혀요

TIP 이렇게 지도하세요! 네 개의 낱말을 함께 읽어 보고, '퍼'가 포함된 낱말을 찾아 ○표 할 수 있도록 도와주세요. 또 '퍼'가 앞에서 배운 '파'와 소리나 모양이 어떻게 다른지 차근차근 설명해 주시고, 각 글자가 포함된 낱말도 여러 번 소리 내어 말하면서 기억할 수 있도록 지도해 주세요.

포 를 배워요

포 를 익혀요

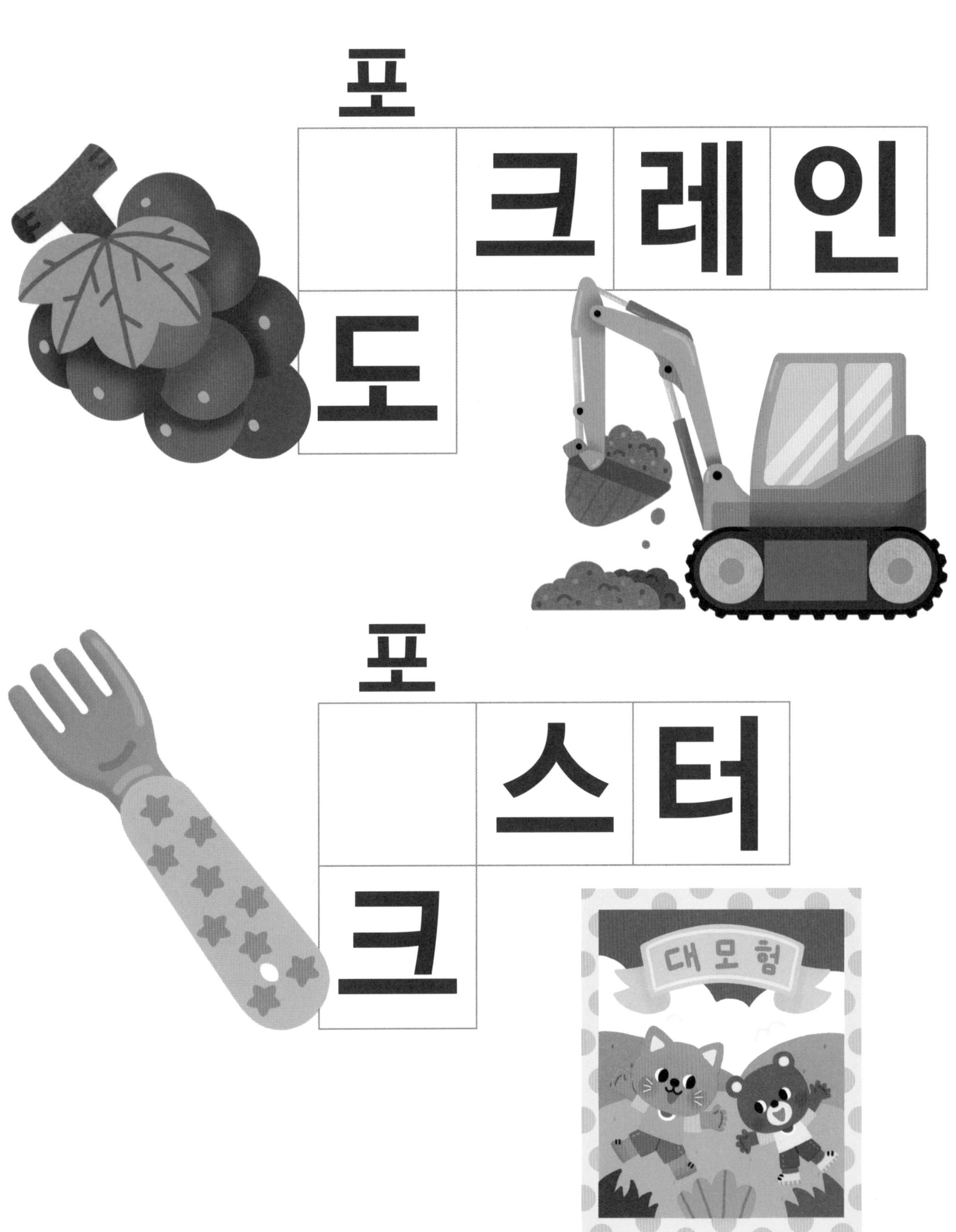

TIP 이렇게 지도하세요! 자녀가 그림과 관련된 낱말을 말해 보고, 빈칸에 '포'를 써넣어 낱말을 완성할 수 있도록 해 주세요. '포'는 총 여섯 획으로 이루어진 글자로, 처음 한글을 배우는 자녀가 쓰기에는 어려운 글자입니다. 부모님께서 글자 쓰는 순서에 맞게 차근 차근 쓰는 모습을 많이 보여 주세요.

푸를 배워요

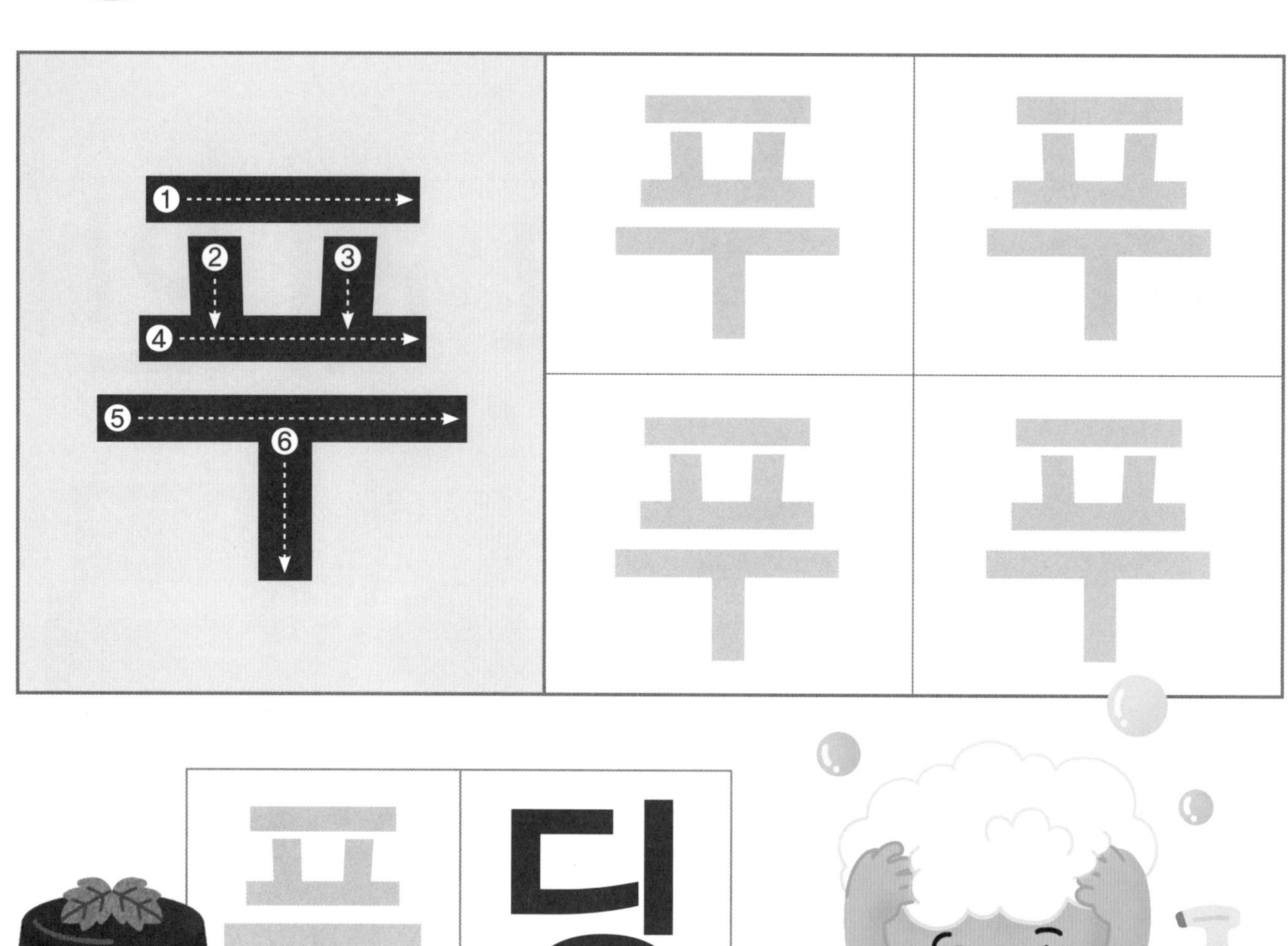

푸	딩

샴	푸

푸	르	다

푸 를 익혀요

TIP 이렇게 지도하세요! 자녀와 함께 그림을 보며 각 낱말을 읽어 본 뒤, 자녀 스스로 '푸'가 포함된 낱말을 따라 길을 찾을 수 있도록 도와주세요. 이 과정에서 '푸'의 모양과 소리를 정확하게 익히고, '포'와 구별하여 기억할 수 있도록 지도해 주세요.

프 를 배워요

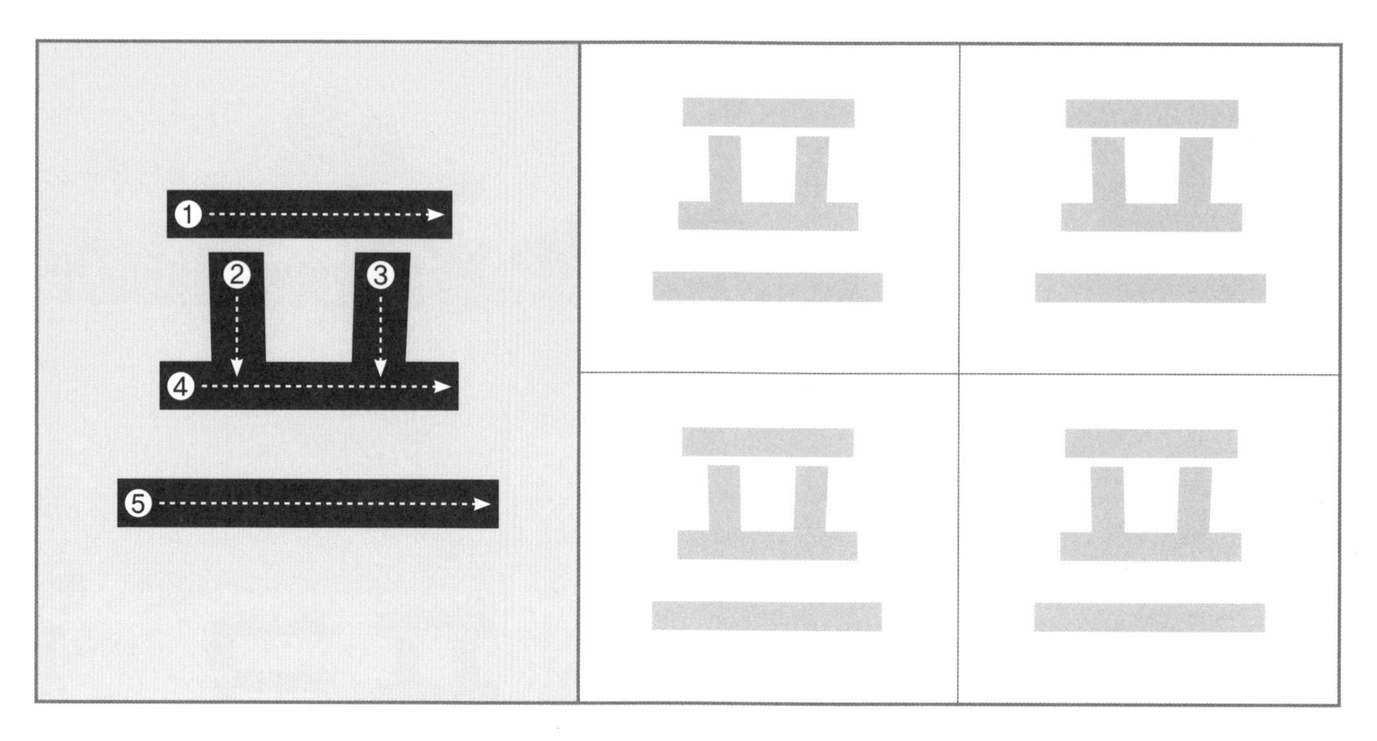

프 를 익혀요

점 | 파 | 프

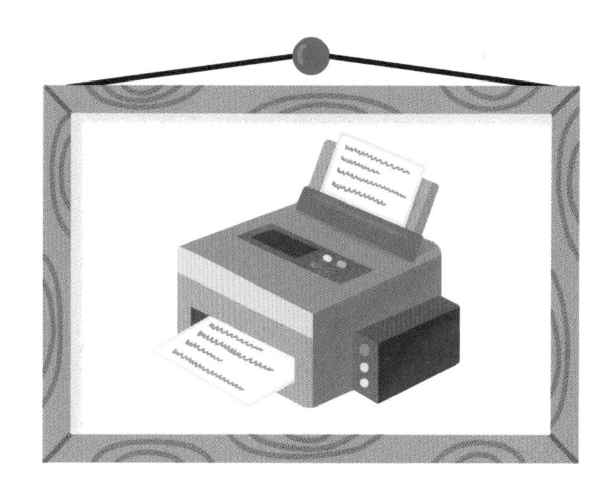

| 포 | 프 | 린터

테이 | 프 | 퍼

이렇게 지도하세요! 자녀가 먼저 그림이 나타내는 낱말을 떠올려 보고, 제시된 두 글자 중에서 '프'를 알맞게 찾아 색칠하도록 도와주세요. 색칠하지 않은 'ㅍ'이 들어간 글자의 모양도 정확히 기억하고, 소리 내어 읽어 보게 해 주세요.

피를 배워요

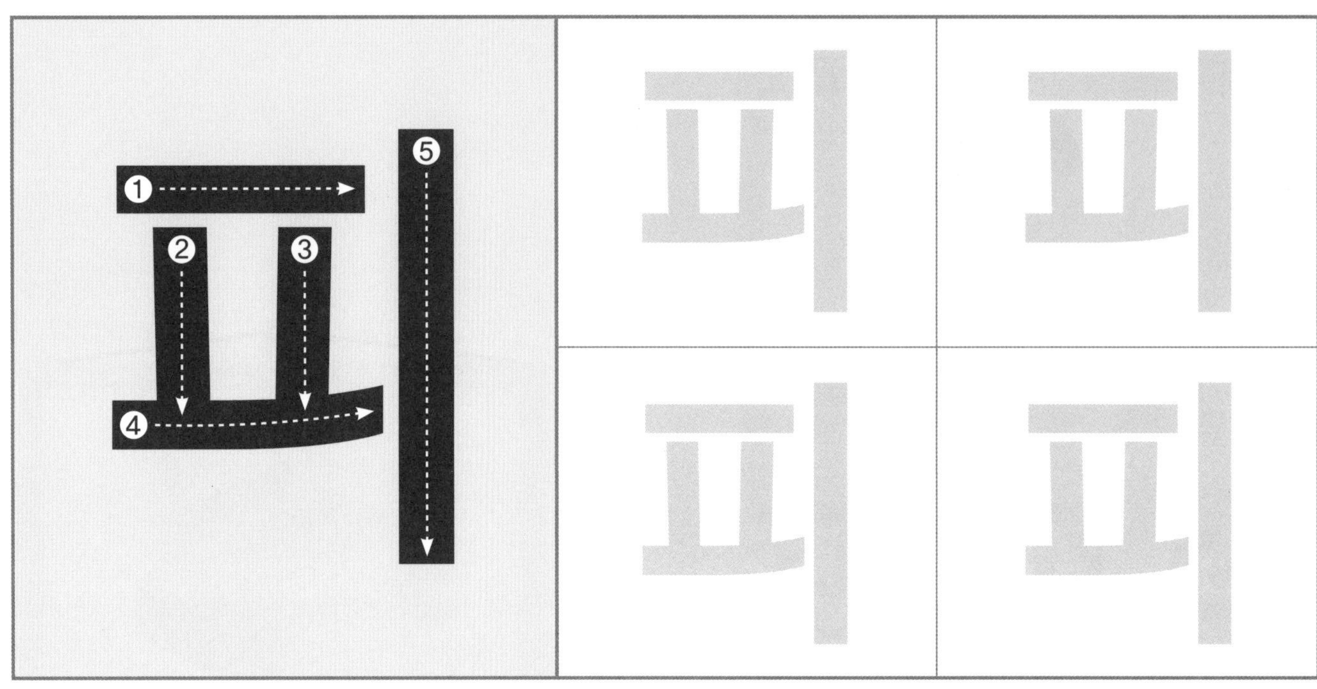

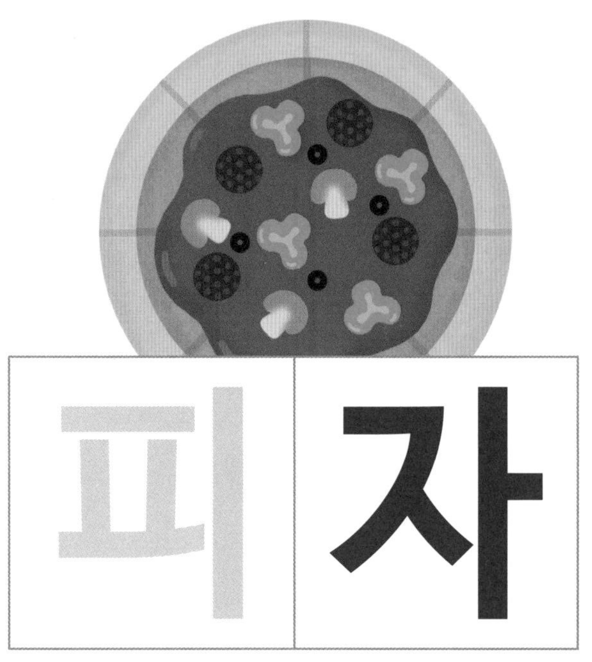

피	리

피	자

피	구

피 를 익혀요

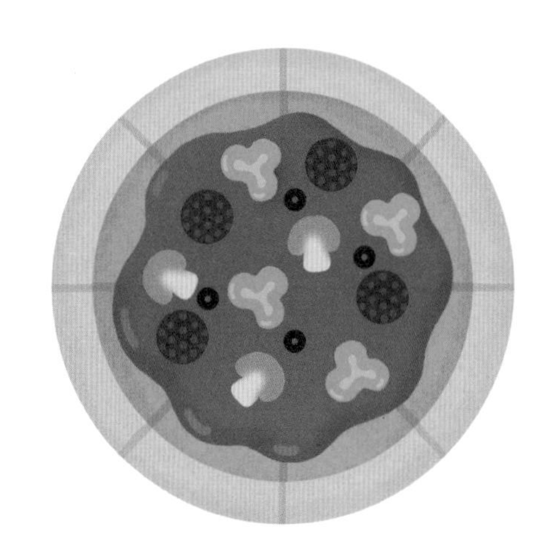

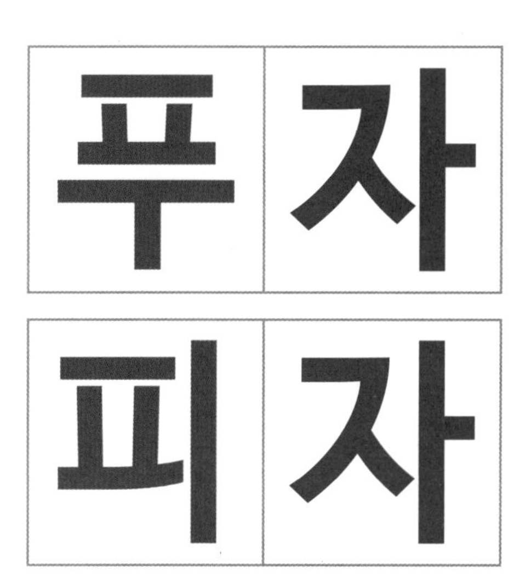

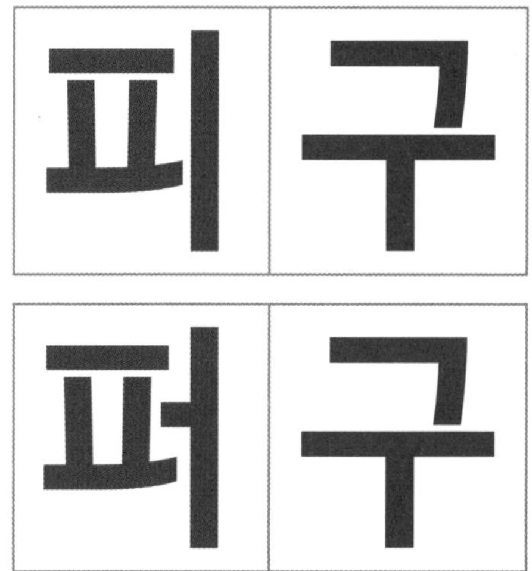

TIP 이렇게 지도하세요! 그림과 관련된 낱말을 자녀와 함께 말해 보고, 자녀가 '피'가 알맞게 쓰인 것을 찾아 ○표 하도록 도와주세요. '파', '퍼', '포', '푸', '프', '피' 모두 한 번씩 읽어 보고 쓰면서 복습하도록 지도해 주세요.

글자를 찾아요

글자를 만들어요

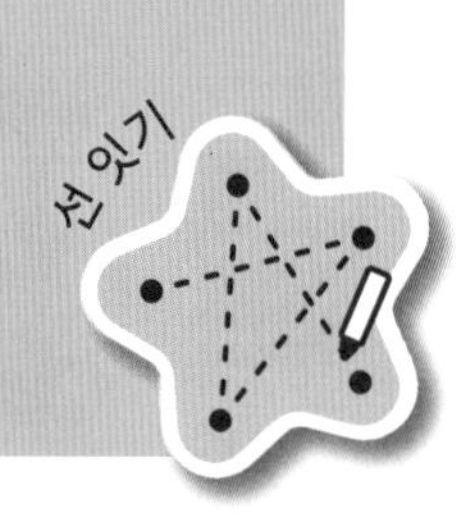

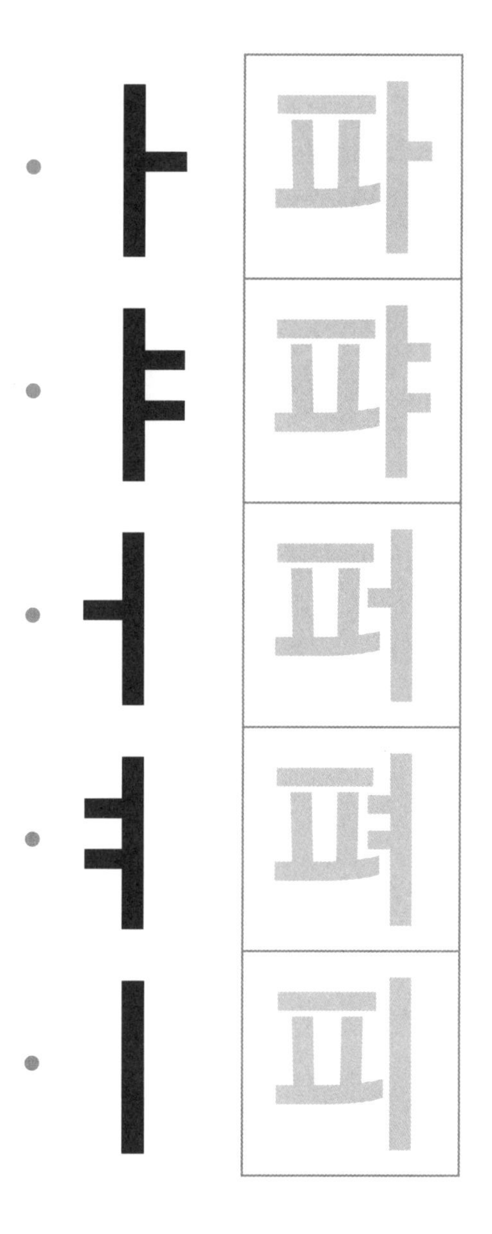

ㅗ ㅛ ㅜ ㅠ ㅡ

포	표	푸	퓨	프

글자를 만나요

TIP 이렇게 지도하세요! 자녀와 함께 챈트 영상을 보며 자음자 'ㅎ'과 모음자가 만나 글자가 만들어지는 원리를 쉽게 익혀 보세요. 영상을 본 뒤에는 자녀가 각 글자와 그 글자가 포함된 낱말을 여러 번 소리 내어 읽어 볼 수 있도록 지도해 주세요.

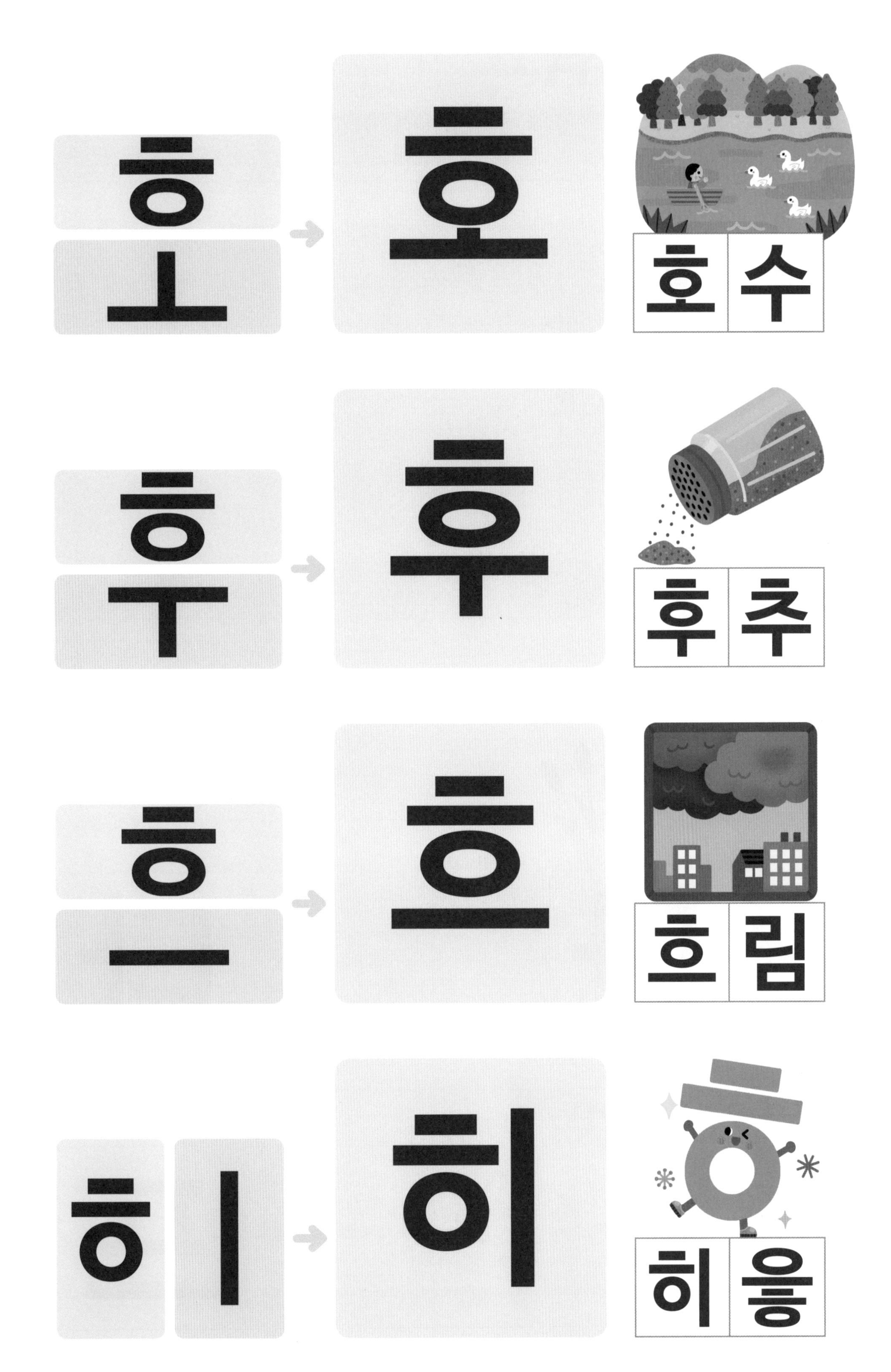
ㅎ
ㅗ
호
호수
ㅎ
ㅜ
후
후추
ㅎ
ㅡ
흐
흐림
ㅎ
ㅣ
히
히읗

하 를 배워요

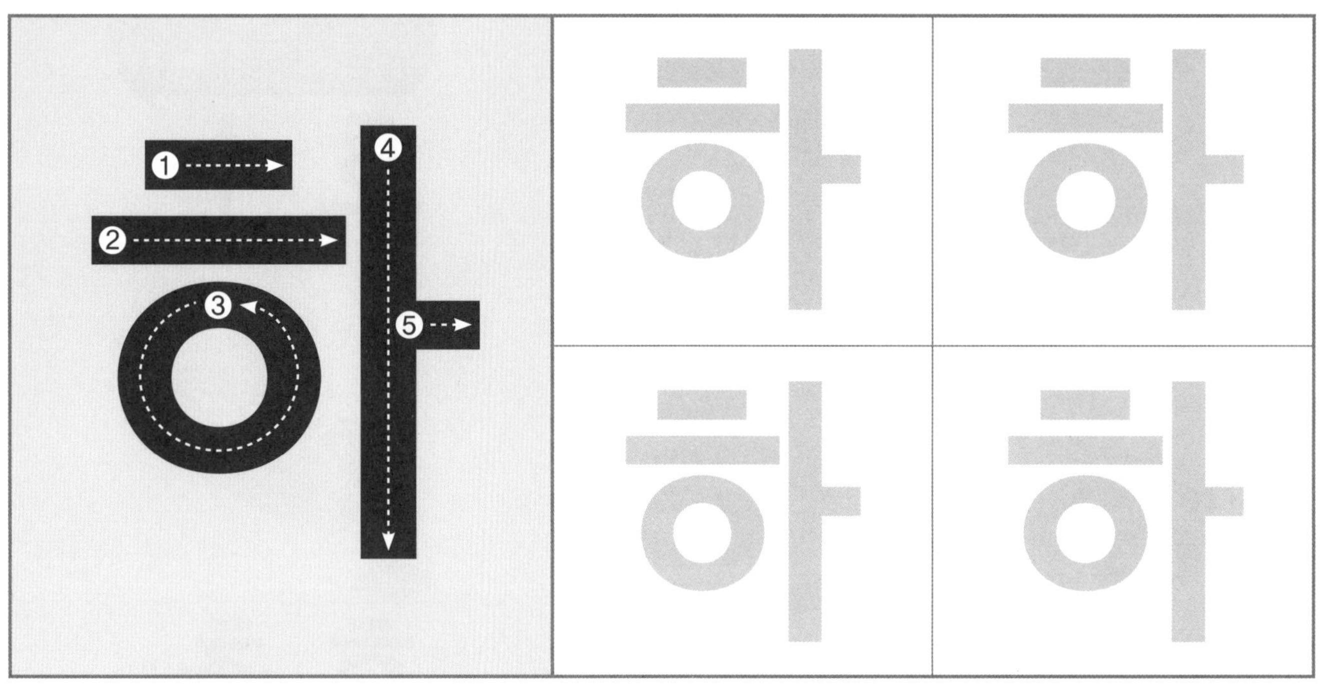

하	하
하	하

하	마

하	나

하	프

하 를 익혀요

TIP 이렇게 지도하세요! 붙임딱지에서 '하'를 찾아 알맞게 붙이고, '하'가 들어간 낱말을 나타내는 그림을 예쁘게 붙일 수 있도록 도와주세요. 완성된 낱말을 그림과 함께 보며 여러 번 반복해서 읽으면서 '하'의 모양과 소리를 정확하게 익히고, 낱말도 함께 기억할 수 있도록 지도해 주세요.

허를 배워요

허	허	허
	허	허

허	벅	지

허	리

허	수	아	비

허 를 익혀요

TIP 이렇게 지도하세요! '허수아비', '허리', '허벅지', '하나'를 차례대로 읽어 보고, '허'가 들어간 낱말을 모두 찾아 ○표 할 수 있도록 도와주세요. '허'와 '하'의 모양과 소리를 정확히 구별하여 익히고, 각 글자가 포함된 낱말도 함께 기억할 수 있도록 지도해 주세요.

호를 배워요

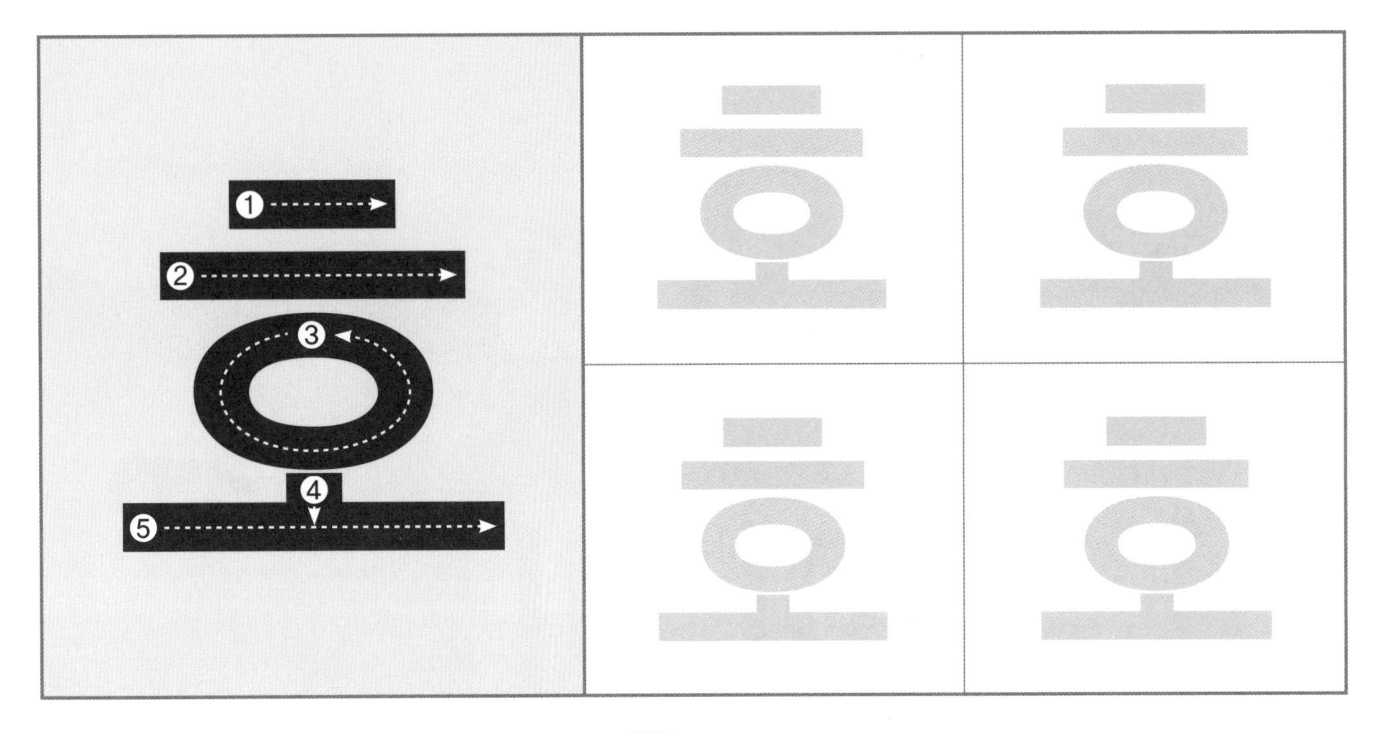

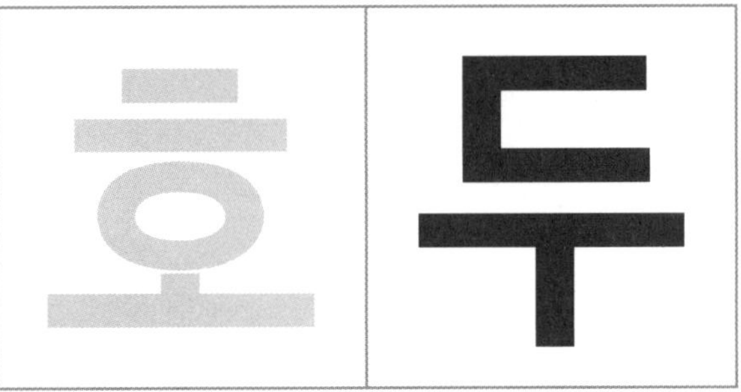

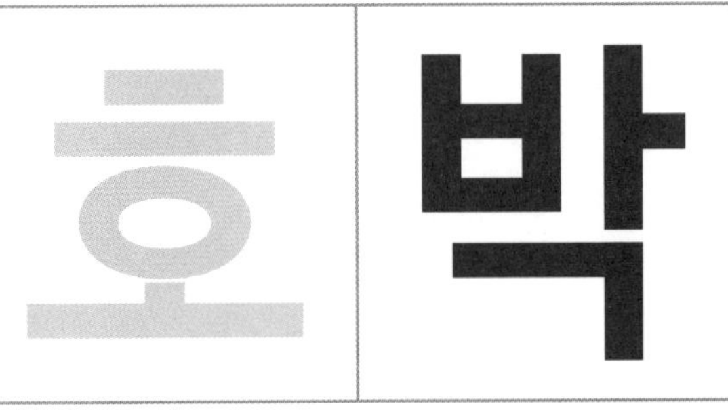

호 수

호를 익혀요

TIP 이렇게 지도하세요! 자녀가 빈칸에 '호'를 써넣어 낱말을 완성할 수 있도록 도와주세요. 글자를 직접 쓰면서 자녀가 '호'의 모양과 소리를 정확하게 익힐 수 있도록 지도해 주시고, '호'가 들어간 낱말 중 자녀에게 친근한 낱말을 더 알려 주셔서 한글에 흥미를 높이도록 이끌어 주세요.

후 를 배워요

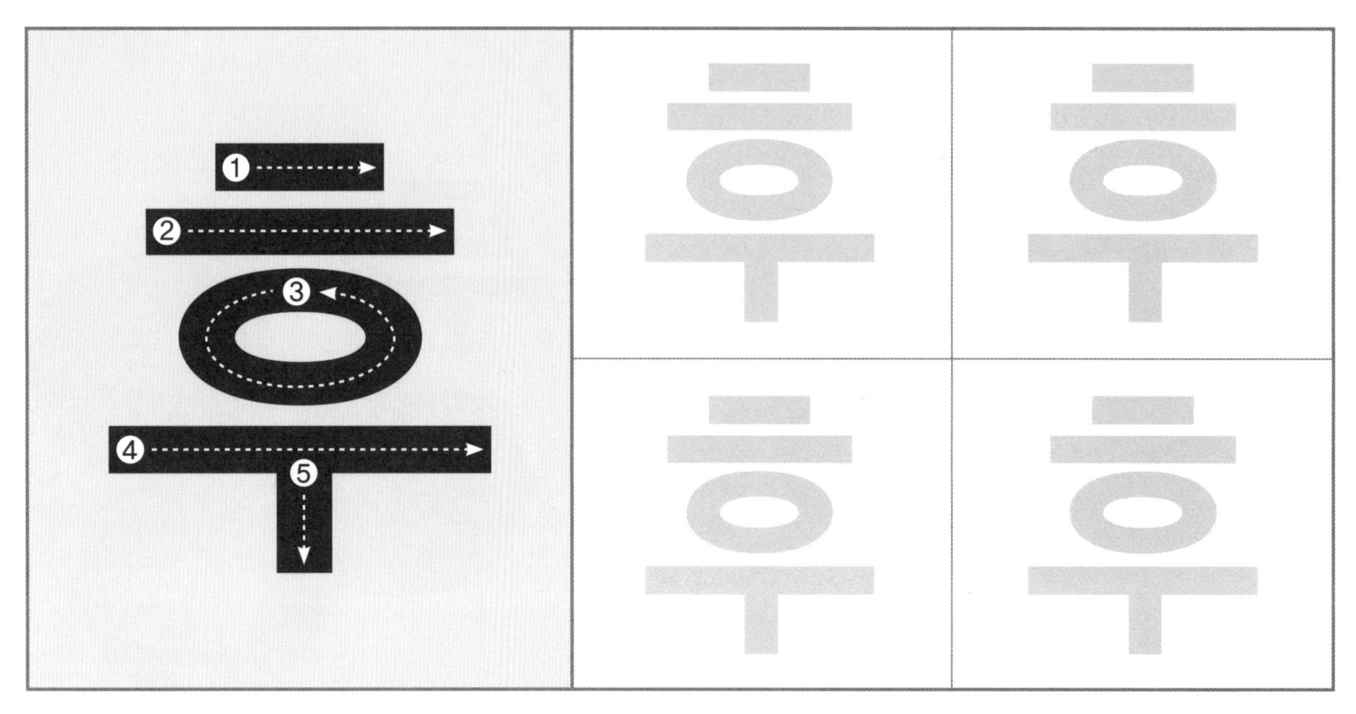

후 추

오 후

훌 라 후 프

후 를 익혀요

'후'를 따라 길 찾기

출발

후추

오후

호수

훌라후프

도착

이렇게 지도하세요! 그림을 보면서 낱말을 모두 한 번씩 읽어 보고, '후'가 포함된 낱말을 따라 선을 이어서 길을 찾을 수 있도록 도와주세요. 이 과정에서 '후'의 모양과 소리를 정확하게 익히고, '호수'의 '호'와 구별하여 기억할 수 있도록 지도해 주세요.

흐를 배워요

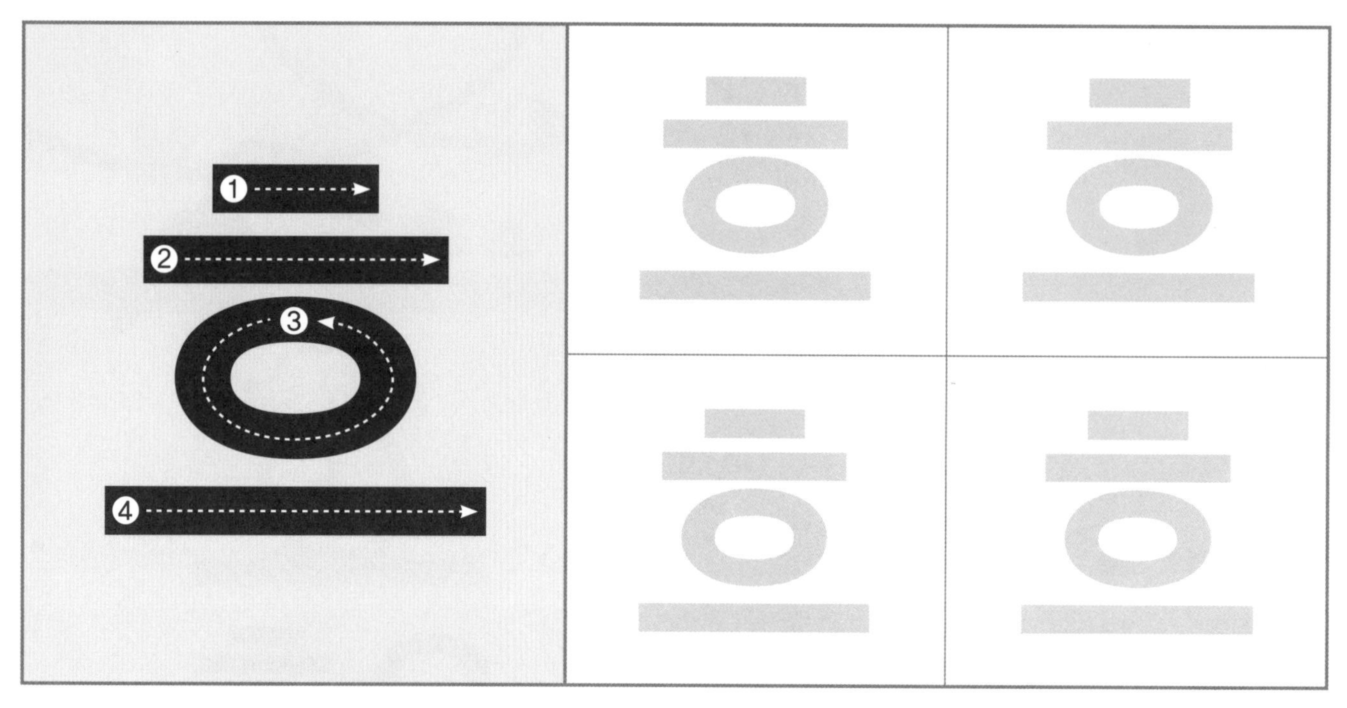

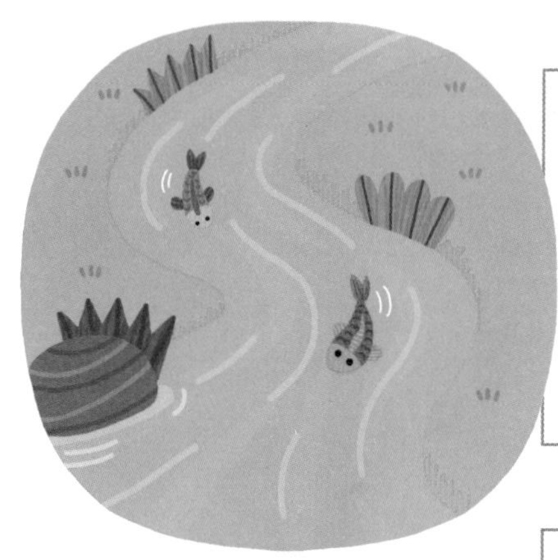

흐	르	다

흐	림

흐	느	끼	다

흐를 익혀요

하 흐 림

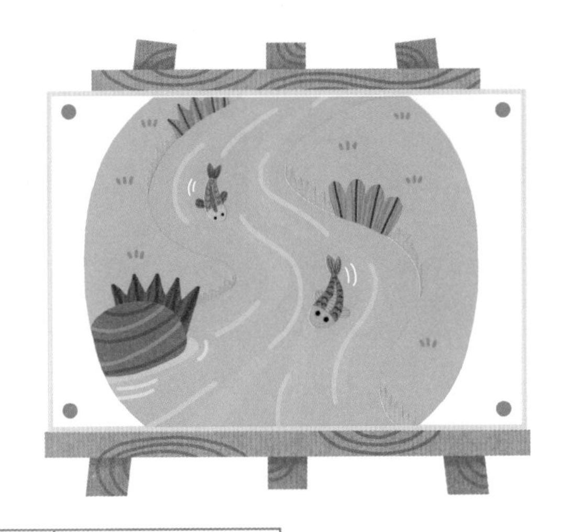

흐 후 르다

흐 호 느끼다

TIP 이렇게 지도하세요! 그림을 보면서 자녀가 제시된 두 글자 중에서 '흐'를 알맞게 찾아 색칠하도록 지도해 주세요. 그리고 끝으로 'ㅎ'이 어떤 모음자를 만나느냐에 따라 다른 글자가 되고, 다른 소리를 낸다는 점을 잘 이해하였는지 확인해 주세요.

히 를 배워요

히 를 익혀요

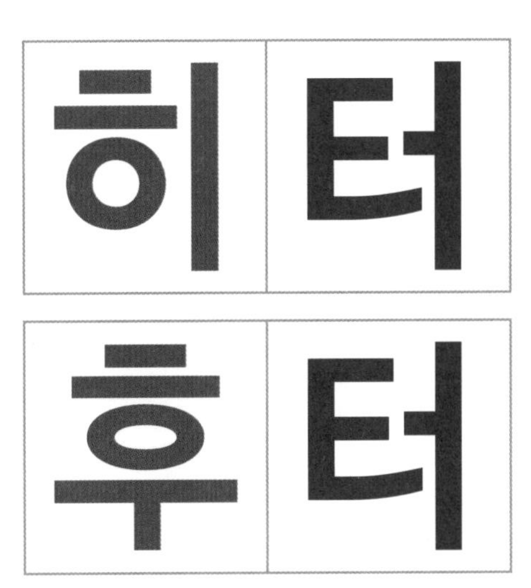

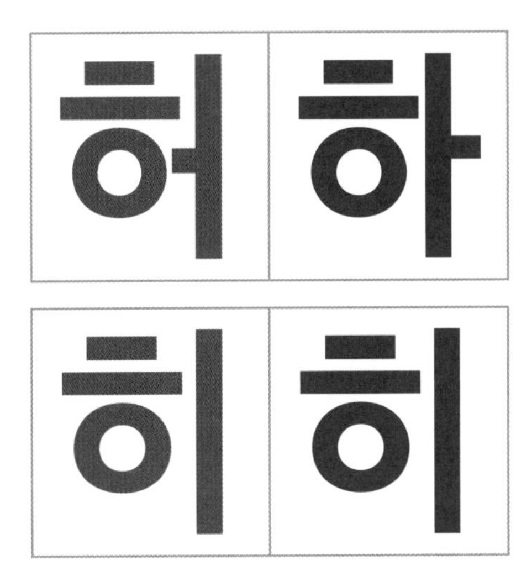

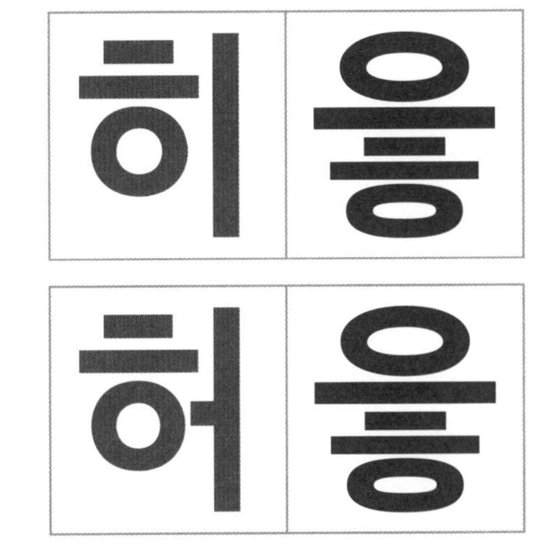

TIP 이렇게 지도하세요! 자녀가 '히'가 알맞게 쓰인 것을 찾아 ○표 할 수 있도록 도와주세요. 그런 다음 자녀가 '히'가 들어간 낱말을 여러 번 읽으면서 자연스럽게 '히'를 기억할 수 있도록 지도해 주세요. 그리고 '히'가 들어간 낱말을 주변에서 더 찾아보며 글자에 대한 흥미를 꾸준히 갖게 해 주세요.

글자를 찾아요

글자를 만들어요

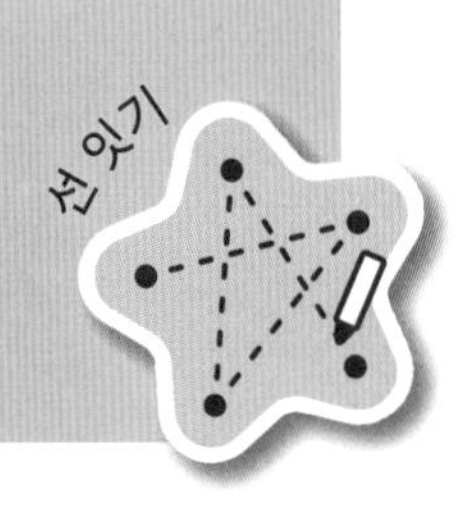

ㅏ	하
ㅑ	햐
ㅓ	허
ㅕ	혀
ㅣ	히

ㅗ	ㅛ	ㅜ	ㅠ	ㅡ
호	효	후	휴	흐

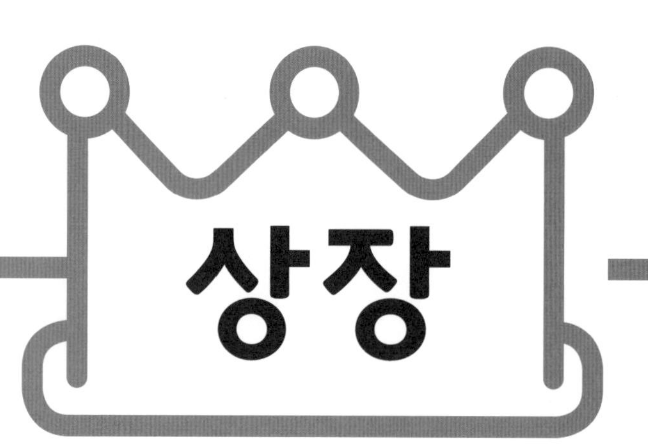

한글 쑥쑥 상

이름 ______________________

위 어린이는 6세 초능력 첫걸음 한글
2단계를 훌륭하게 마쳤습니다.
이에 칭찬하여 이 상장을 드립니다.

년 월 일

11쪽에 붙이세요.

아 아 아

22쪽에 붙이세요.

아 어 오 우 으 이

27쪽에 붙이세요.

자 자 자

38쪽에 붙이세요.

자 저 조 주 즈 지

43쪽에 붙이세요.

차 차 차

54쪽에 붙이세요.

차 처 초 추 츠 치

59쪽에 붙이세요.

카 카 카

70쪽에 붙이세요.

카 커 코 쿠 크 키

75쪽에 붙이세요.

타 타 타

86쪽에 붙이세요.

타 터 토 투 트 티

91쪽에 붙이세요.

파 파 파

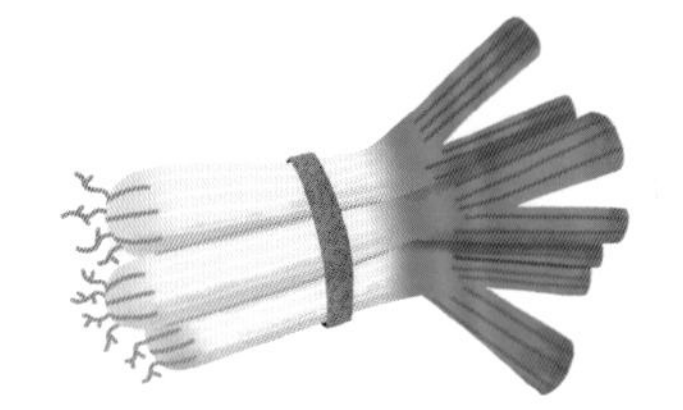

102쪽에 붙이세요.

파 퍼 포 푸 프 피

107쪽에 붙이세요.

하 하 하

118쪽에 붙이세요.

하 허 호 후 흐 히